French 3

*Foundation Skills
for 11-14 year olds*

Gloria Richards BA

Head of French,
Senior Tutor to the Sixth Form,
Brynteg Comprehensive School

Charles Letts & Co Ltd
London, Edinburgh & New York

First published 1986
by Charles Letts & Co Ltd
Diary House, Borough Road, London SE1 1DW

Illustrations: Kate Charlesworth; Chartwell

© Gloria Richards 1986

ISBN 0 85097 668 5

Printed in Great Britain by
Charles Letts (Scotland) Ltd

Acknowledgements

I wish to express my thanks to the following
people for their help in producing this book:

Ian Bryden who acted as consultant, for his wise
counsel and professional advice; Mlle Marie-
Jeanne Zitoune and Mrs J. M. Dennis for their
revision of the manuscript; my father, Samuel
Blythe Farnsworth, for the maps; Guy Droz and
Vaughan Richards for the photographs; Anne
Henwood and the staff of Letts for their guidance
and expertise; and above all my husband and
daughter for their unfailing support and
encouragement.

The authors and publishers would also like to
thank the following organizations for permitting
us to use material for which they hold the
copyright: Fédération Unie des Auberges de
Jeunesse: pp. 63, 64, 65; French Government
Tourist Office: p. 75; Le Figaro: p. 85.

The illustrations on pp. 58–59 are reproduced
with the permission of Manufacture Française
des Pneumatiques Michelin and are extracts from
the introduction to their Tourist Guide series.
© Michelin et Cie 1986

Preface

This book has been written as a study aid for pupils in their third year of learning French. Pupils often find learning a foreign language difficult in the early years when faced with the demands of acquiring new skills in listening, speaking, reading and writing in French. This book, like Volumes 1 and 2, aims to help pupils assimilate and practise the core elements of those French courses which are used in schools today. Some courses are based on graded schemes of work whereas others are based on more traditional lines. This book may be used by pupils following both traditional and modern courses.

The emphasis is on the practical application of knowledge and the reader is encouraged throughout to use his/her knowledge actively in communication. Each Unit has as its focal point an everyday situation or situations with sufficient vocabulary and grammatical explanation to provide a sound basis for participation in that particular situation. The acquisition of grammatical knowledge is a necessary part of this study aid and without it the perfection of skills is impossible. The reader is encouraged above all to involve him/herself in the active use of French.

Gloria D. Richards
1986

Contents

Introduction

and guide to using this book

This Foundation series aims to help pupils acquire the knowledge and skills which are necessary for the successful learning of French. The acquisition of knowledge and skills requires careful learning and plenty of practice. As in Volumes 1 and 2, each Unit in this book contains essential information, grammatical explanation and practice 'Activités' which have been devised to help pupils acquire essential skills in French.

Approach

You should work systematically through this book learning all the new words and grammar and then do all the Activités in the order given. When you have finished each Unit, check your answers in the Answer Section.

Method

1 Listening skills

Although it is difficult to practise this skill from a book, there are several ways in which you can gain extra practice.

(a) Always listen carefully to your teacher in class and try to imitate the sounds you hear as closely as possible when it is your turn to speak in French.

(b) Listen to French radio as often as you can. (French radio stations can be received on most sets in the British Isles.) You may not be able to understand all that is being said on French radio but listen carefully to the way in which sounds are produced.

(c) Watch as many French language programmes on TV as possible. Begin with the simpler level programmes to gain confidence and then progress to the more difficult ones. Always try to imitate the sounds you hear.

(d) In some of the Units, you will find Activités where you are told that someone is speaking in French and you are asked to explain in English what is being said.

Ask a French native speaker or your teacher to record these Activités on tape for you so that you can listen to an actual voice when practising.

2 Speaking skills

The advice given to you in 'listening skills' also applies to 'speaking skills'. Always try to imitate the sounds you hear from native speakers.

Here are some general pointers to help you with your pronunciation.

(a) The letter 'h' is never pronounced when it is the first letter of the word.

(b) There are lots of nasal sounds in French. Try holding your nose and saying 'un'. This is the sound you need to make in French but without actually holding your nose.

(c) The French 'r' is produced in a different way from the English 'r'. In French it should be produced at the back of the throat. Here is an exercise to help you to practise this (do not over-practise this at first, however, as you may give yourself a sore throat).

Open the mouth wide and say 'ah'. Keep the mouth in this open position and say 'ah-ara-ra'. The rolling of the 'r' at the back of the throat should now be clearly heard.

(d) The 'u' sound in French (heard in such words as 'du' 'vu' 'vendu', etc.) is another sound which, if pronounced correctly, will make your spoken words sound more 'French'. Practise the following exercise to help you to improve this sound:

Push the lips out into a tight 'O' shape and say 'oo'. (This sound should be the same as in the word 'too' but without the 't'.)

Now stretch your lips wide and say 'ee' (as in 'tee').

To produce a perfect French 'u' sound, you should now try to say 'ee' in the 'oo' mouth position. Remember not to move your lips from the 'oo' position when trying to say 'ee'.

3 Reading skills

Always read carefully. Never 'skip' sentences. Each word is important and spelling is very important. You only know a language really well when you can read and write (i.e. spell) it correctly, as well as speak it and understand the spoken word.

Before answering any questions on a reading passage, make sure that you have really understood the passage. Be prepared to read a passage several times, if necessary, before attempting to answer the questions on the passage.

If you are translating, remember that the English you write is as important as the French you are reading. Never write a stilted translation which looks as if it has obviously been translated. Always use the most natural, but correct, expressions from each language.

4 Writing skills

There are many writing exercises for you to do in this book. Remember that not only is correct spelling important but that accents, too, must be written correctly. When you learn the spelling of a word, learn the correct accent if there is one. At the end of each written Activité always check carefully what you have written before going on to the next section. The good habits you form now will be invaluable to you in the later stages of language learning.

Some of the written Activités will be preparing you for 'free composition' work which you will have to do later when preparing for public examinations in French. The keys to success in this type of question are simplicity and, above all, accuracy. If you take care to check your work now, in the early stages of language learning, you will reap many benefits later.

All of the above skills are tested in schools in some form or other. Many schools now use Graded Tests to assess the progress of pupils. Many of the Activités in this book are similar to the ones you may have to do in your Graded Assessment tests or APU (Assessment of Performance Unit) tests. *Foundation Skills French* will help you to gain confidence and not to panic when taking these tests. By carefully and consistently working through this book, you will have a firm base for future work in French in school. Set aside a specific day(s) and time each week for using this book, and keep to it!

Vocabulary

Essential vocabulary and key words are given in each Unit. Learn all the new words as you meet them. Before proceeding to a new Unit, make sure that you really do know all the new words from the present Unit.

Grammar

This has been reduced to a necessary minimum but is nevertheless important. Learn each new 'rule' as you meet it and, above all, remember it. Imagine that you are working with building blocks. You must not leave any gaps or else your basic skills will be in danger of collapsing.

Activités

There are many different Activités in this book. Here are some of the different things you will be asked to do:
reading comprehension;
answering questions about yourself and others;
completion exercises;
role-play;
interpreting;
asking questions;
giving directions;
understanding directions;
giving commands;
expressing likes and dislikes;
ordering things;
shopping;
learning how to use local/national transport systems;
dealing with officials;
writing letters.

I hope that you will find these Activités both useful and enjoyable.

Unit 1

Les sports d'été/ Summer sports

This unit covers:
(1) reading comprehension;
(2) talking about the summer sports you like/play;
(3) letter-writing;
(4) **grammar:** *the imperfect tense.*

Loisirs en Charente-Maritime

Here is an extract from a holiday brochure offering 'plaisirs et loisirs de la mer'.

Souhaitez-vous profiter des plages? Elles sont nombreuses.

La pêche est-elle votre passe-temps favori? Les bons coins ne manquent pas. Le poisson non plus.

Préférez-vous la pêche sous-marine? Les fonds sont clairs, multiples et changeants.

Enfin si vous désirez profiter de votre séjour pour pratiquer la voile, les écoles de voile, d'initiation, de perfectionnement ou de croisière sont nombreuses le long de notre côte.

New words

le loisir leisure
souhaiter to wish
nombreux (nombreuse *f*) numerous
le passe-temps pastime
non plus neither
sous-marin(e) underwater
les fonds (*m*) the depths
clair clear
changeant changing
pratiquer to practise
la voile sailing
d'initiation for beginners
de perfectionnement advanced
de croisière cruising
la côte coast

Unit 1 continued

En été on peut pratiquer . . .
   l'athlétisme (athletics)
   le cyclisme (cycling)
   l'équitation (horse-riding)
   le golf
   le ski-nautique (water-skiing)
On peut faire . . .
   de la voile
   de la planche à voile (wind-surfing)
On peut . . .
   nager
   jouer au cricket (en Grande-Bretagne)
   jouer au tennis
   jouer aux boules (bowls)
Mais si l'on n'est pas sportif. . . . on peut se reposer!

Expressing your interest in sport

Here are some useful phrases for telling someone
what you like/dislike doing:

J'aime . . .
J'adore . . .
Je suis amateur de . . . (I am fond of . . .)
Je m'intéresse à . . .

Je déteste . . .
Je ne peux pas supporter . . .
and here are some nouns that you might want to use
with them:
la natation   (swimming)
le jogging
le surfing
l'aérobic
plus the nouns you have already learnt in this Unit.

The 'imperfect' tense

In the questions in this Unit, you have seen and used
the 'present' tense.
    Throughout Volumes 1 and 2 you have been using
both the 'present' and the 'perfect' tenses. The perfect
tense is used when you want to tell someone about an
event which has happened in the past . . .
e.g.   Lundi **je suis allé** au collège.
     I went* to school on Monday.
You now need to be able to use the 'imperfect' tense
which is used to describe *repeated* or *continuous*
actions in the past . . .
e.g.   The weather **was** fine.
     We **used to** play tennis in the summer.
     I **went*** wind-surfing every day.
*****N.B. the word 'went' is used in both the
examples of imperfect and perfect tenses. In the
first sentence (using the perfect tense) the event
happened *once* only on that Monday, whereas in
the second sentence (using the imperfect tense)
the action referred to was happening again and
again.**

How to form the imperfect tense

Learn the following endings:
je -**ais**
tu -**ais**
il -**ait**
elle -**ait**
nous -**ions**
vous -**iez**
ils -**aient**
elles -**aient**
With the exception of the verb 'être', all verbs in
French form the imperfect tense from the 'nous' form
of the present tense.

e.g.   nous allons
      nous finissons

The 'nous' and the '-ons' are removed and then the
imperfect endings are added to the stem which
remains (e.g. 'all-', 'finiss-')

aller
j'allais   I went/was going/used to go, etc.
tu allais
il allait
elle allait
nous allions
vous alliez
ils allaient
elles allaient

finir
je finissais   I finished/was finishing/used to finish,
               etc.
tu finissais
il finissait
elle finissait
nous finissions
vous finissiez
ils finissaient
elles finissaient

Further examples . . .
dire (nous *dis*ons) **je disais**   I was saying, etc.
faire (nous *fais*ons) **je faisais**   I was doing, etc.
prendre (nous *pren*ons) **je prenais**   I was taking, etc.
voir (nous *voy*ons) **je voyais**   I was seeing, etc.
    The imperfect tense of 'être' is *not* formed from the
present tense, but it does have the same endings as
the other verbs.

être
j'étais   I was/used to be, etc.
tu étais
il était
elle était
nous étions
vous étiez
ils étaient
elles étaient

Unit 1 continued

Letter-writing

Marc has just returned home after spending a holiday with his English penfriend. In his letter to Peter, he uses some imperfect and some perfect tenses. As you are reading, see if you can see the difference in meaning between the two tenses.

Valréas, le 16 août.

Cher Peter,

Je suis bien arrivé chez moi hier soir. Mes parents m'attendaient à la gare de Valréas. J'étais bien fatigué quand j'y suis arrivé enfin. Le train de Londres est arrivé à Douvres à dix heures et j'ai dû passer par la douane avant de prendre le ferry. A bord j'ai mangé les sandwiches que ta mère m'a préparés. Ils étaient délicieux! Il y avait tellement de monde sur le ferry, surtout des Anglais qui allaient passer leurs vacances en France. J'ai parlé avec une famille anglaise qui allait faire du camping dans le Midi. C'était leur premier voyage en France et ils m'ont posé beaucoup de questions au sujet de la nourriture française. Ils en avaient des idées bizarres! Ils pensaient que nous mangeons des escargots tous les jours.

Nous sommes arrivés à Calais vers midi. Les douaniers voulaient bien savoir si j'avais des choses à déclarer. Je leur ai montré la bouteille de whisky que ton père m'a donnée pour mon père. J'ai expliqué que c'était un cadeau. Mon père en remercie beaucoup ton père.

Cet après-midi j'espère aller à la piscine avec mes amis. J'étais très content de jouer au tennis chez toi mais je n'ai nullement réussi à comprendre le cricket! Quel sport incompréhensible! Mes parents m'ont demandé de leur expliquer comment on y joue mais c'était impossible. Tu dois le leur expliquer l'année prochaine.

Donne mon bon souvenir à tes parents.

A bientôt de te lire.

Marc.

New words

Douvres Dover	**à bord** on board	
au sujet de about		
la nourriture food	**une idée** idea	
bizarre strange		
les escargots (*mpl*) snails		
remercier to thank		
une année year		
Donne mon bon souvenir à Give my best wishes to		
à bientôt de te lire I hope to hear from you soon		

A rowdy classroom

New words

dessiner to draw
le prof (short for) le professeur
les bonbons sweets
le transistor transistor radio
chanter to sing
faire du chahut to be rowdy/to play about

Activités

1 Learn all the new words.

2 *Répondez en français:*
(a) Es-tu sportif/sportive?
(b) Que fais-tu en été?
(c) Tu joues au tennis?
(d) Tu joues au cricket?
(e) Sais-tu nager?
(f) Tu sais faire de la planche à voile?
(g) Tu aimes l'équitation?
(h) Tu aimes nager?
(i) Tu pratiques le ski-nautique?
(j) Tu fais de la voile?

3 Ask your French friend the following questions in French.
(a) Are you a games player?
(b) What do you play in summer?
(c) Do you play bowls?
(d) Can you swim?
(e) Do you go riding?
(f) Do you go sailing?
(g) Can you water-ski?
(h) Can you wind-surf?
(i) Do you like cycling?
(j) Do you like tennis?

4 Read the passage 'Loisirs en Charente-Maritime' aloud in French, then answer the following questions in English.
(a) Why is this a good idea for fishermen?
(b) What is said about underwater fishing?
(c) What kind of sailing instruction is offered?
(d) Where does the sailing take place?

5 Tell your French friend (in French) . . .
(a) I adore jogging.
(b) I like riding.
(c) I'm fond of wind-surfing.
(d) I'm interested in sailing.
(e) I detest cricket.
(f) I can't bear athletics.
(g) I'm fond of tennis.
(h) I adore surfing.
(i) I detest aerobics.
(j) I like swimming.

6 Write a letter to your French penfriend telling him/her about the sports you like playing in summer. Ask him/her about the sports he/she likes/plays in summer. Begin and end your letter in the usual way for a friend of your own age. (Check back to Volume 2 if necessary.)

7 Learn the imperfect tense carefully.

8 Rewrite the following sentences, giving the verb the correct part of the imperfect tense.
(a) Il (vouloir) jouer au tennis.
(b) Nous (faire) du ski nautique.
(c) Elle (dire) des bêtises.
(d) Je (pouvoir) faire de l'équitation.
(e) Nous (être) en vacances.
(f) Ils (venir) à la piscine tous les samedis.
(g) Tu (avoir) des choses à déclarer?
(h) Elles (écrire) des cartes postales.
(i) Vous (aller) souvent au stade municipal?
(j) Je (se dépêcher) pour rentrer de l'école.

9 Now say what the sentences in Activité 8 mean in English.

10 You hear the following sentences in French. Explain in English to your friend, who does not understand French, what you hear.
(a) Il faisait beau.
(b) J'étais en vacances.
(c) Le soleil brillait.
(d) Nous attendions devant le centre sportif.
(e) Mon copain tenait une raquette de squash.
(f) Mes frères allaient jouer au football.
(g) Mes soeurs se reposaient.
(h) Tu pouvais faire de la planche à voile.
(i) Ils préféraient faire de l'équitation.
(j) Je voulais faire de la voile.

11 Use the imperfect tense to tell your French friend what you used to do on holiday last year.
   e.g. jouer au tennis
      <u>Quand j'étais en vacances l'année dernière,</u>
      je jouais au tennis <u>tous les jours.</u>

Use the parts of the sentence above, which are underlined, in each sentence.

(a) Jouer aux boules
(b) Jouer au cricket
(c) Faire du cyclisme
(d) Faire de l'équitation
(e) Faire de la planche à voile
(f) Pratiquer le ski nautique
(g) Pratiquer l'athlétisme
(h) Se reposer
(i) Faire de la voile
(j) Nager*

* the 'e' is retained after the 'g' in all parts of the imperfect tense except in the 'nous'/'vous' forms e.g. 'Je nageais' but 'nous nagions'.

12 Your French friend questions you further about what you used to do on holiday. *Répondez en français.*

(a) A quelle heure te levais-tu?

(b) A quelle heure te couchais-tu?

(c) Que faisais-tu le matin?

(d) Que faisais-tu l'après-midi?

(e) Que faisais-tu le soir?

(f) Tu t'amusais bien?

(g) Il faisait beau tous les jours?

(h) Il faisait chaud?

(i) Tu jouais avec tes copains?

(j) Tu restais à la maison?

13 Learn all the new words in Marc's letter, then answer the following questions by choosing the most appropriate of the answers given.

(a) Marc arrived home . . .
(i) last week
(ii) the day before yesterday
(iii) on August 15th
(iv) on August 16th

(b) How did Marc get back home?
(i) By train
(ii) By plane
(iii) By bus
(iv) He hitch-hiked

(c) Before getting on the ferry, he had to . . .
(i) buy a ticket
(ii) go through customs
(iii) buy last-minute presents
(iv) check his passport

(d) On the ferry there were . . .
(i) very few people
(ii) a lot of schoolchildren
(iii) a lot of French tourists
(iv) a lot of English tourists

(e) The English tourists that Marc met on the ferry . . .
(i) had often been to France
(ii) always spent their holidays in France
(iii) had never been to France
(iv) were hoping to settle in France

(f) They spoke to Marc about . . .
(i) foreign tourists
(ii) French food
(iii) French camp sites
(iv) his family

(g) What is Marc hoping to do this afternoon?
(i) Play tennis
(ii) Play cricket
(iii) Watch cricket
(iv) Go swimming

(h) What does Marc ask Peter to do next year?
(i) Teach him to play tennis
(ii) Teach him to play cricket
(iii) Explain the game of cricket to his friends
(iv) Explain the game of cricket to his parents

14 Your penfriend has written to you telling you about his English teacher who has been complaining about the behaviour of the class. Here are some of the things that the class was doing . . .

(a) Mon copain Laurent dessinait sur le pupitre.

(b) Moi, je regardais par la fenêtre.

(c) Les élèves derrière moi bavardaient.

(d) Les filles n'écoutaient pas le prof.

(e) Personne ne faisait attention.

(f) Mes amis mangeaient des bonbons.

(g) L'élève devant moi écoutait son transistor.

(h) On chantait.

(i) On ne travaillait pas.

(j) Tout le monde faisait du chahut.

Learn the new words in 'The rowdy classroom', then say in English what was going on in your penfriend's class.

15 Look at the picture of the rowdy classroom. Express in French what was going on when the teacher came into the classroom.

e.g. Everybody was shouting.
Tout le monde criait.

(a) Some boys were looking out of the window.

(b) No one was looking at the teacher.

(c) The girls were chatting.

(d) My friend was eating sweets.

(e) The boy in front of me was singing.

(f) The girls behind me were playing about.

(g) The girl in front of me was writing on the desk.

(h) Her friend was shouting.

(i) I was not working.

(j) My friend was listening to his transistor.

Unit 2

A l'aéroport/ At the airport

This unit covers:
(1) reading comprehension;
(2) talking about the airport;
(3) seeking information at the airport;
(4) letter-writing (accepting an invitation);
(5) **grammar:** 'qui', 'que' and 'dont'.

L'aéroport

New words

une aérogare air-terminal
un avion plane
un avion à réaction jet
un hélicoptère helicopter
une hôtesse de l'air air-hostess
le pilote pilot
la piste d'atterrissage runway

La famille Gavarin à l'aéroport

Il y a quelques semaines la famille Gavarin est allée à l'aéroport de Lyon pour attendre l'arrivée de la correspondante de Céline qui s'appelle Louise. C'était une jeune Anglaise qui allait passer trois semaines chez les Gavarin. C'était sa première visite en France et elle voyageait seule. Céline a déjà passé trois semaines en Angleterre chez Louise. Elle a beaucoup aimé l'Angleterre qu'elle a trouvée très belle. Les deux jeunes filles s'entendent bien et ont fait beaucoup de projets pour la visite de Louise. A l'aéroport de Lyon la famille Gavarin attendait dans la grande salle d'attente. Ils regardaient tous les passagers qui allaient et venaient avec leurs chariots à bagages. Madame Gavarin ne voulait pas regarder les avions à réaction dont elle avait peur, mais Marc voulait les voir de près. Il espérait voir le Concorde mais il n'était pas là.

Louise a voyagé dans un avion de la ligne Air France qu'elle a trouvé bien confortable. A bord on lui a servi un petit repas délicieux. Elle a parlé avec la jeune Française à côté d'elle dont elle a fait la connaissance avant de partir de Londres.

Dans la salle d'attente de l'aérogare, les haut-parleurs annonçaient l'arrivée et le départ des avions . . .
'Attention! Les passagers du vol trois cent quarante-cinq à destination de Bordeaux sont priés de se diriger vers la barrière de contrôle, porte numéro quatre.'
'Attention! Le vol soixante-treize de Londres va atterrir dans cinq minutes.'

New words

le (la) correspondant(e) penfriend
seul(e) alone
déjà already
s'entendre bien to get on well
le projet plan
le passager passenger
avoir peur de to be afraid of
de près close to
confortable comfortable
servir to serve
faire la connaissance de to meet/make an acquaintance
le haut-parleur loud-speaker
annoncer to announce
le vol flight
se diriger vers to make one's way towards
la barrière de contrôle control-barrier
atterrir to land

The relative pronouns 'qui', 'que' and 'dont'
'Qui' and 'que'

In Volume 2 you learnt how to use the relative pronouns 'qui' and 'que'. They are used to link sentences/ideas together.
e.g. **(a) Je veux prendre l'avion.**
        L'avion part à dix heures.
These two sentences can be linked together using 'qui'.
Je veux prendre l'avion **qui** part à dix heures.
(I want to take the plane **which** leaves at 10 o'clock.)
Qui is used to link a noun and verb when the noun is the *subject* of the verb which follows. In (a) above, 'l'avion' is the subject of 'part'.

(b) Vous voyez l'avion.
    Je vais prendre l'avion.
These two sentences can be linked together using **que**.
Vous voyez l'avion **que** je vais prendre.
(You can see the plane **that** I am going to take)
Que is used to link a noun and verb when the noun is the *object* of the verb.
In (b) above, 'l'avion' is the object of 'vous voyez' and 'je vais prendre'.

'Dont'
There is another relative pronoun which you will sometimes need to use in French – **dont** (of which, of whom, whose). There were two examples of the use of **dont** in the passage earlier in this Unit.
(1) Madame Gavarin ne voulait pas regarder les avions à réaction **dont** elle avait peur.
    . . . the jets **of which** she was afraid.
(2) Elle a parlé avec la jeune Française . . . **dont** elle a fait la connaissance avant de partir de Londres.
    She spoke with the young French girl **whose** acquaintance she made before leaving London.

Unit 2 continued

A l'aérogare

Employée: Bonjour, monsieur.

Voyageur: Bonjour, mademoiselle. Y a-t-il des vols pour Londres demain?

Employée: Oui, monsieur. Il y a deux vols. Vous voulez partir le matin ou l'après-midi?

Voyageur: Le matin, s'il vous plaît. Le vol est à quelle heure?

Employée: A huit heures et demie, monsieur.

Voyageur: Et il arrive à Londres à quelle heure?

Employée: A dix heures, monsieur.

Voyageur: C'est combien le billet, s'il vous plaît?

Employée: Huit cents francs, monsieur.

New word

demain   tomorrow

Dans l'avion

Passager: Pardon, mademoiselle. Où est la place
   sept A s'il vous plaît?

Hôtesse de l'air: Là-bas, à gauche, monsieur.

Passager: Merci, mademoiselle. Je peux mettre mon
   sac sous le siège?

Hôtesse de l'air: Oui, monsieur.

Passager: On arrive à Londres à quelle heure, s'il
   vous plaît?

Hôtesse de l'air: A onze heures, monsieur.

New word

la place   seat/place

Learn the following words . . .
boucler   to fasten
la ceinture   belt
éteindre*   to put out/extinguish
avoir le mal de l'air   to be air-sick
la fois   time/occasion
*** see extra grammar notes at the end of the book
for this irregular verb**

Unit 2 continued

Here is a letter from a French boy to his English penfriend accepting an invitation to come and stay with him.

Auxerre, le 9 mai.

Mon cher Peter,
Je te remercie beaucoup de ta gentille lettre du 6 mai. Je suis très content d'accepter ton invitation de venir passer deux semaines chez toi au mois d'août. Je peux prendre l'avion de Paris à Londres. C'est beaucoup plus rapide que par le train. J'attends avec plaisir mon premier séjour en Angleterre. En attendant de te lire,
Amitiés
Gérard.

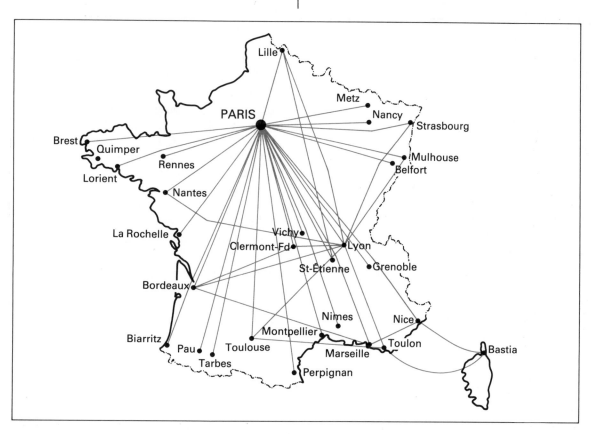

French internal air network

Activités

1 Learn the new words, then answer the following questions by choosing the most appropriate of the answers given.

(a) Who is Louise?
   (i) Céline's French penfriend
   (ii) Céline's English penfriend
   (iii) Céline's best friend
   (iv) Céline's relative

(b) How long will she be staying with the Gavarins?
   (i) a month
   (ii) a week
   (iii) two weeks
   (iv) three weeks

(c) How many times has she been to France?
   (i) never before
   (ii) once
   (iii) twice
   (iv) many times

(d) Who was travelling with her?
   (i) Her parents
   (ii) Some friends
   (iii) She was travelling alone
   (iv) An escort

(e) Describe the relationship between Céline and Louise.
   (i) They are hoping to get to know each other well.
   (ii) They get on well.
   (iii) They like different things.
   (iv) They have the same friends.

(f) What took the family's interest at the airport?
   (i) The passengers
   (ii) The planes
   (iii) Concorde
   (iv) The loud-speakers

(g) Who doesn't like planes?
   (i) Marc
   (ii) Céline
   (iii) Monsieur Gavarin
   (iv) Madame Gavarin

(h) What does Marc particularly want to see?
   (i) Concorde
   (ii) All around the airport
   (iii) Inside the air-terminal
   (iv) The control tower

(i) Where did Louise meet the young French girl?
   (i) On the plane during the flight
   (ii) At home before leaving for the airport
   (iii) In London before leaving
   (iv) In the airport lounge in Lyon

(j) What is the flight number for the plane to Bordeaux?
   (i) 354
   (ii) 345
   (iii) 73
   (iv) 4

2 Répondez en français.
(a) Tu aimes voyager en avion?
(b) Tu voyages souvent en avion?
(c) Où es-tu allé(e) en avion?
(d) Tu avais le mal de l'air? (air-sickness)
(e) Tu veux être pilote/hôtesse de l'air?
(f) Il y a un aéroport près de chez toi?
(g) Ta mère aime voyager en avion?
(h) Préfère-t-elle voyager en voiture?
(i) Et toi, tu préfères le train?
(j) Pourquoi?

3 Complete the following sentences with 'qui' or 'que' (whichever is the most appropriate).
(a) L'avion . . . tu vois part à onze heures.
(b) Voilà les valises . . . je cherche.
(c) Donne-moi la valise . . . est là.
(d) Les passagers . . . nous attendons sont arrivés.
(e) On appelle les passagers . . . sont dans la salle d'attente.
(f) Marc regarde l'avion . . . est sur la piste.
(g) L'avion . . . Marc regarde est sur la piste.
(h) L'hôtesse de l'air . . . est devant l'avion est très jolie.
(i) Le pilote . . . descend de l'avion est mon frère.
(j) Les billets . . . tu cherches sont dans ta poche.

4 Now give the English meaning of the completed sentences above.

5 Complete the following sentences with 'dont' and then say what the sentences mean in English.
(a) C'est quelque chose . . . j'ai peur.
(b) C'est quelque chose . . . nous avons besoin.*
(c) Tu as vu le film . . . on a parlé?
(d) C'est une jeune fille . . . les parents sont riches.
(e) Ce sont des choses . . . on ne parle jamais.*
* **avoir besoin de**   to need
  ne . . . jamais   never.

6 You are at an airport ticket-desk
(a) Say hello to the assistant (female).
(b) Ask if there are any flights to Nice tomorrow.
(c) Say you wish to leave in the afternoon.
(d) Ask at what time the flight leaves.
(e) Ask at what time it arrives at Nice.
(f) Ask how much the ticket costs.
(g) Thank the assistant.

7 You have just got on a plane in France. You speak to the air-hostess in French.

(a) Say 'excuse me' to the air-hostess.

(b) Ask where seat 19 B is.

(c) Ask if you can put your bag next to you.

(d) Ask at what time the plane arrives at Strasbourg.

(e) Thank the air-hostess.

8 On board the plane, you hear the following announcements/questions. What are you being told/asked.

(a) Bouclez vos ceintures.

(b) Éteignez vos cigarettes.

(c) Voulez-vous boire quelque chose?

(d) Avez-vous le mal de l'air?

(e) C'est la première fois que vous voyagez en avion?

9 You find yourself sitting next to a French boy/girl. You speak to him/her in French.

(a) Say hello and give your name.

(b) Ask where he/she is going in England.

(c) Tell him/her where you live.

(d) Tell him/her that you have* spent three weeks in Bordeaux with your French correspondant and his family.

(e) Say that you have had a marvellous holiday.

* **venir de** (+ infinitive) to have just (see Unit 12 later).

10 Regardez l'image de l'aéroport à la page 20, puis répondez aux questions en français.

(a) Qu'est-ce que les passagers vont faire?

(b) Qui est cette dame (A)?

(c) Qu'est-ce qu'il y a sur le chariot?

(d) C'est un avion anglais?

(e) Qu'est-ce que le monsieur (B) a fait? (brandy **le cognac**)

(f) Que font les deux garçons près de l'homme?

(g) Il y a combien de voyageurs?

(h) Le petit enfant est content?

(i) Qui va monter le premier dans l'avion?

(j) Il pleut à l'aéroport?

11 Read the letter from Gérard to Peter, then answer the following questions in English.

(a) When was Peter's letter written?

(b) When was the letter received?

(c) When is the invitation for?

(d) How long is the invitation for?

(e) How does Gérard intend to travel?

(f) From where to where?

(g) What reason is given for this?

(h) How many times has Gérard already been to England?

12 Imagine that you are Peter. Write a letter in French to Gérard and include the following . . .

(a) Thank him for his letter.

(b) Say that you will* be at the airport (Heathrow) to meet him.

(c) Ask what day he is going to arrive.

(d) Ask at what time his flight arrives at Heathrow.

(e) Ask if he has already travelled by (**en**) plane.

(f) End your letter in the usual way to a friend.

* **use 'je serai'** (you will learn about the future tense in Units 4/5)

13 Using Gérard's letter as a guide now write a letter to your penfriend accepting his/her invitation to stay with his/her family in France.

(a) Thank him/her for his/her letter.

(b) Say that you are very pleased to accept the invitation to spend two weeks at his/her house in July.

(c) Say that you can go by plane from London to . . . (choose one of the following airports – Paris, Bordeaux, Marseille, Lyon, Strasbourg)

(d) Say that you are looking forward to your first stay in France.

(e) End your letter with an expression which means that you are looking forward to his/her next letter.

14 Look carefully at the map on page 21 showing the internal French airports. *Répondez en français*:

(a) Il y a un aéroport à Toulouse?

(b) Il y a un vol direct entre Toulouse et Paris?

(c) Il y a un vol direct entre Grenoble et Nice?

(d) Il y a un vol direct entre Strasbourg et La Rochelle?

(e) Il y a un aéroport en Corse?

15 You are seeking the following information about French airports in France. Ask the following questions in French.

(a) Is there an airport at Biarritz?

(b) Is there a direct flight from Biarritz to Marseille?

(c) Is there a direct flight from Paris to Clermont Ferrand?

(d) Is there an airport in Corsica?

(e) Is there a direct flight from Bastia to Lyon?

Unit 3

Les sports d'hiver/ Winter sports

This unit covers:
(1) reading comprehension;
(2) talking about winter sports;
(3) interpreting;
(4) letter-writing (asking for information/ accepting and confirming dates and accommodation);
(5) **grammar:** 'quelque'/'quelqu'un' and 'chaque'/'chacun'.

L'hiver en France

En hiver on peut faire du ski en France dans les régions montagneuses. On peut faire de la luge aussi. Quelquefois on peut patiner en plein air.

New words

faire du ski   to go skiing
faire de la luge   to go tobogganing
patiner   to skate

Les vacances d'hiver de Marc et Céline

Pendant les vacances de Noël, Marc et Céline sont allés passer quelques jours à Chamonix dans les Alpes avec un groupe des jeunes de Valréas. Ils avaient l'habitude d'y aller tous les ans vers le 28 décembre. Ils sont toujours accompagnés de quelques adultes. Quelques-uns des jeunes gens préféraient y aller sans les adultes mais Monsieur et Madame Gavarin ne voulaient pas leur permettre d'y aller sans surveillance.

'Ca coûte cher, le ski!' a dit Madame Gavarin quand Céline lui a demandé un nouvel ensemble-ski. Chaque fois que Céline part en vacances, elle demande un nouvel ensemble à sa mère.

'Heureusement qu'on peut louer l'équipement-ski,' a ajouté Monsieur Gavarin.

'Papa, veux-tu nous donner encore deux cents francs, s'il te plaît?' a demandé Marc.

'Comment! Deux cents francs de plus!' s'est exclamé Monsieur Gavarin. 'Pourquoi veux-tu encore de l'argent? L'année dernière tu as rapporté de l'argent. Que veux-tu acheter?'

Marc lui a expliqué. 'Il faut payer le télésiège chaque jour et aussi les repas aux restaurant. Chacun doit payer le tarif sur place. Le télésiège et les repas ne sont pas compris.'

'Mon Dieu,' s'est écrié Monsieur Gavarin. 'Quand on a des enfants qui veulent faire du ski, il faut être millionnaire!'

New words

les Alpes   the Alps
un groupe   group
les jeunes (gens)   young people
sans surveillance   unsupervised
avoir l'habitude de   to be in the habit of
vers   about
quelques-uns   some
permettre   to allow
un ensemble-ski   skiing clothes

un ensemble   an outfit
l'équipement   equipment
ajouter   to add
encore   another/further
Comment!   What!
de plus   more
s'exclamer   to exclaim
rapporter   to bring back
le télésiège   ski-lift (chair)
chacun   each one
sur place   on the spot

The adjectives 'quelque' and 'chaque'

In the passage earlier in this Unit, you saw examples of the adjectives 'quelque' and 'chaque':
Ils sont toujours accompagnés de **quelques** adultes.
Chaque fois que Céline part en vacances . . .
Il faut payer le télésiège **chaque** jour.
'Chaque' is always singular and is used with a singular noun. It means 'each'.

e.g. **chaque** weekend   **each** weekend
      chaque semaine   **each** week
      chaque élève   **each** pupil
      chaque repas   **each** meal

'Quelque' means 'some' and is usually used with plural nouns, as in the example above . . . '**quelques** adultes (**some** adults). You have already learnt an example of the singular form in **quelque chose** (something).

The pronoun 'quelqu'un'

'Quelqu'un means 'someone'.
e.g. **Quelqu'un** est tombé.
      (**Someone** fell.)
      Quelqu'un est malade.
      (**Someone** is ill.)
This pronoun has a plural form which means 'some', 'a few'. (Remember that a *pronoun* is used instead of a noun.)

In the passage earlier in this Unit, you saw an example of the plural form:
      Quelques-uns des jeunes gens . . .
      (**Some** of the young people . . .)

If this pronoun refers to a female subject only, then the form **quelques-unes** is used.
e.g. **Quelques-unes** des jeunes filles . . .
      (**Some** of the young girls . . .)

The pronoun 'chacun(e)'

In the passage you saw . . .
Chacun doit payer . . .
(**Each one** must pay . . .)
'Chacun' is a pronoun and is used instead of a noun. There is a feminine form (**chacune**) which is used instead of a feminine noun.
e.g. adjective: **Chaque** chambre a une vue* des montagnes.
      pronoun: **Chacune** a une vue* des montagnes
                (Each one has a view of the mountains.)

une vue   a view

Unit 3 continued

Un accident de ski

New words

un ambulancier   ambulance man
un brancard   stretcher

Letter-writing: booking a hotel room

Here is a letter from John Smith to a hotel in Grenoble asking for information.

Londres, le 9 octobre

Monsieur,

Nous comptons passer quelques jours à Grenoble à la fin de décembre. Il nous faut deux chambres à deux lits, chacune avec douche et W.C. Voulez-vous m'indiquer votre tarif pour les chambres?

En attendant votre réponse, je vous prie de recevoir l'expression de mes sentiments les plus distingués.

John Smith

. . . and here is the hotel's reply

Grenoble, le 15 octobre

Monsieur,

Nous accusons réception de votre lettre du 9 octobre. Nous pouvons vous offrir deux chambres à deux lits, chacune avec salle de bain du 29 décembre au 5 janvier. Le tarif pour une chambre est à 190 francs par jour. Le petit déjeuner est compris.

Veuillez agréer, Monsieur, l'expression de mes sentiments distingués.

Paul Morel

New words

compter   to count (on)/intend
la fin   end
par jour   per day
compris   included
Remember: both letters end with French equivalents of 'Yours faithfully'
'je vous prie de recevoir . . .'
'Veuillez agréer . . .'
l'expression de mes sentiments (les plus) distingués.'

John Smith now writes to the hotel to confirm that he will take the rooms offered on the available dates.

Londres, le 20 octobre

Monsieur,

J'accuse réception de votre lettre du 15 octobre. Je voudrais confirmer que je prendrai* les deux chambres à deux lits avec salle de bain que vous m'avez proposées, du 29 décembre au 5 janvier.

Veuillez agréer, Monsieur, l'expression de mes sentiments distingués.

John Smith

New words

confirmer   to confirm
proposer   to propose/offer

* **je prendrai** I shall take (see next Unit for the future tense)

A la réception de l'hôtel

John Smith: Bonjour, mademoiselle. Je m'appelle John Smith. Je vous ai écrit pour réserver deux chambres à deux lits.
Réceptionniste: Bien, monsieur. Voici les clés* des chambres trente-deux et trente-trois.
John Smith: Elles sont à quel étage s'il vous plaît?
Réceptionniste: Au premier étage, monsieur.
John Smith: Et le petit déjeuner est à quelle heure?
Réceptionniste: Entre sept heures et neuf heures et demie, monsieur.
John Smith: Merci, mademoiselle.

* **la clé** key

Activités

1 Répondez en français:
(a) Où as-tu passé les vacances de Noël l'année dernière?
(b) Où vas-tu* passer les vacances de Noël cette année?
(c) As-tu fait du ski?
(d) Où as-tu fait du ski?
(e) Quel temps a-t-il fait pendant les vacances de Noël l'année dernière?
(f) Qu'as-tu fait pendant les vacances de Noël?
(g) Aimes-tu faire de la luge?
(h) Sais-tu patiner?
(i) Que fais-tu pour t'amuser en hiver?
(j) Tu préfères rester à l'hôtel ou faire du camping en hiver?
   N.B. **vas-tu** are you going (The future tense itself is introduced in Unit 4.)

2 Avez-vous compris?
(a) Where do Marc and Céline like spending part of the Christmas holidays?
   (i) In the mountains
   (ii) On the beach
   (iii) In Paris
   (iv) Abroad
(b) How often do they go there?
   (i) Every weekend
   (ii) Every month
   (iii) Once a year
   (iv) Twice a year

Activités *continued*

(c) What do Monsieur and Madame Gavarin insist upon?
- **(i)** Accompanying the children themselves
- **(ii)** That they are accompanied by adults
- **(iii)** That they are accompanied by other children
- **(iv)** That they are supervised at all times

(d) What is Madame Gavarin's opinion of skiing?
- **(i)** It's expensive
- **(ii)** It's dangerous
- **(iii)** It's a waste of time
- **(iv)** It's very educational

(e) What has Céline asked her mother for?
- **(i)** A new coat
- **(ii)** A new pair of skis
- **(iii)** A new dress
- **(iv)** A new outfit

(f) How often does Céline ask her mother for something new?
- **(i)** Every Christmas
- **(ii)** Every time she goes on holiday
- **(iii)** Every birthday
- **(iv)** As often as possible

(g) What is Monsieur Gavarin pleased about?
- **(i)** That the house will be quiet while the children are away
- **(ii)** That the children have earned enough money to pay for themselves
- **(iii)** That they have learnt how to ski
- **(iv)** That they can hire skis

(h) What does Marc want his father to do?
- **(i)** Hire equipment for them
- **(ii)** Write him a cheque
- **(iii)** Give him more money
- **(iv)** Give him money that he borrowed last year

(i) What did Marc bring back last year?
- **(i)** Swiss chocolates
- **(ii)** Souvenirs
- **(iii)** Presents for the family
- **(iv)** Some money

(j) What is not included in the price of the holiday?
- **(i)** The hotel
- **(ii)** Meals
- **(iii)** Ski-lessons
- **(iv)** Evening discos

3 Explain to your friend, who does not understand French, what information you are given in the following statements.
- **(a)** Chacun doit louer des skis.
- **(b)** Chacun va prendre le télésiège.
- **(c)** Chaque élève a pris le télésiège.
- **(d)** Chaque chambre a une vue de la mer.
- **(e)** Chaque hôtel a une piscine.
- **(f)** Chacun a un restaurant.
- **(g)** Chaque chambre a un téléphone.
- **(h)** Chacune a une salle de bain.
- **(i)** Nous sommes sortis chaque jour.
- **(j)** Nous y allons chaque weekend.

4 Now tell your French friend, in French . . .
- **(a)** Each bedroom has a shower.
- **(b)** Each one has a television.
- **(c)** Each pupil can (savoir) ski.
- **(d)** Each one can skate.
- **(e)** Each teacher can swim.
- **(f)** Each one wants to go tobogganing.
- **(g)** Each girl has a new skiing outfit.
- **(h)** We went skiing each day.
- **(i)** They went skating each afternoon.
- **(j)** Each one fell.

5 Complete the following sentences with *quelque(s)* or the appropriate form of *quelqu'un/quelques-un(e)s*.
- **(a)** ... est tombé de la luge.
- **(b)** ... sont tombés de la luge.
- **(c)** ... élèves sont tombés de la luge.
- **(d)** ... professeurs ont fait du ski.
- **(e)** ... s'est cassé la jambe.
- **(f)** ... se sont cassé la jambe.
- **(g)** ... élèves se sont cassé la jambe.
- **(h)** ... enfants se sont foulé la cheville
- **(i)** ... chose est arrivé en vacances.
- **(j)** On a transporté ... élèves à l'hôpital.

6 Express the following in French.
- **(a)** Some pupils.
- **(b)** Something.
- **(c)** Some went skiing.
- **(d)** Some went skating.
- **(e)** Some boys went tobogganing.
- **(f)** Some teachers stayed in the hotel.
- **(g)** Someone broke his leg.
- **(h)** Someone went to hospital.
- **(i)** Some girls were afraid.
- **(j)** Someone broke the ski-lift.

7 Regardez les quatre images (pictures) à la page 26 'Un accident de ski'. Répondez en français.
- **(a)** Qu'est-ce que les enfants vont faire?
  Quel temps fait-il?
  C'est en quelle saison?
  Il y a un télésiège?
- **(b)** Que font les enfants?
  Qu'est-ce qui est arrivé au premier garçon?
  Il sait bien faire du ski?
  Il s'est fait mal?
- **(c)** C'est un accident grave?
  Qui a-t-on appelé?
  Que font les ambulanciers?
  Quel temps fait-il?
- **(d)** Où est le garçon blessé?
  Que fait-il?
  Que font ses camarades?
  Est-il content?

8 Imagine that you are the boy in the pictures who had the accident. Recount in French what happened to you. Keep your account simple. Use the perfect tense for the events which happened. e.g. Samedi dernier je suis allé faire du ski . . . (This example is expanded in the Answer Section.)

9 (a) Where does John Smith live?
   (b) How long does he intend to stay in Grenoble?
   (c) When does he intend to stay there?
   (d) How many rooms does he require?
   (e) Give details about the type of rooms he requires.
   (f) What specific question does he ask?
   (g) What rooms can the hotel offer?
   (h) When are they available?
   (i) What is the cost per room per day?
   (j) What is included in the price?

10 Using John Smith's first letter as a guide, write a letter to a hotel at Chamonix.
   (a) Say that you intend to spend a week in Chamonix at the end of February.
   (b) Say that you require 2 rooms.
   (c) One double room and one single room with a shower. (Revise Unit 3 in Volume 2 if necessary.)
   (d) Ask for the price of the rooms.
   (e) End the letter with one of the French equivalents for 'Yours faithfully'.

11 Using John Smith's letter of confirmation as a guide, write a letter to the hotel at Chamonix.
   (a) Say that you have received their letter.
   (b) Say that you would like to confirm that you will take the rooms offered – one double room and one single room with shower from 22 February to the first of March.
   (c) End the letter with one of the French equivalents for 'Yours faithfully'.

12 You have now arrived at your hotel in Chamonix. You speak (in French) to the hotel receptionist (female).
   (a) Say hello.
   (b) Give her your name.
   (c) Say that you have written to the hotel to book two rooms, one double room and one single room with shower.
   (d) Ask on what floor the rooms are.
   (e) Ask at what time breakfast is.
   (f) Thank the receptionist.

13 Qu'est-ce qui est arrivé? (What happened?)
   While taking part in winter sports, the following accidents happened. Tell your French penfriends what happened.

Quelqu'un est tombé dans la neige.

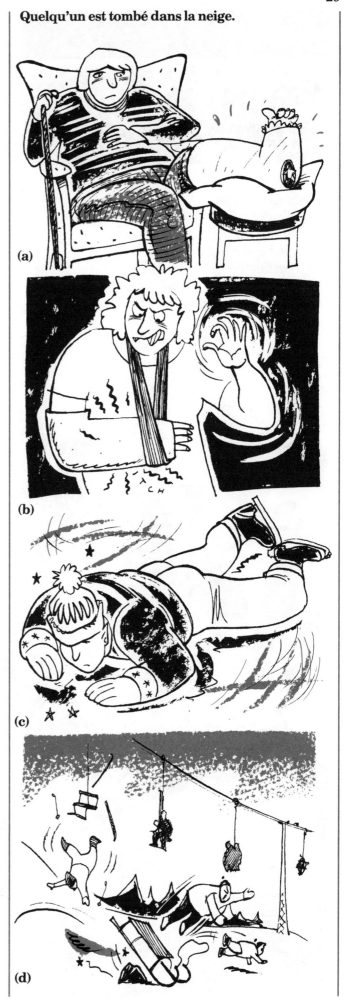

(a)

(b)

(c)

(d)

Unit 4

En panne/
A breakdown

This unit covers:

(1) telephoning a garage after a breakdown;
(2) giving information;
(3) asking for information;
(4) reading comprehension;
(5) giving a written account of a breakdown;
(6) **grammar:** the regular future tense.

A breakdown

Useful vocabulary

le camion-remorque   breakdown lorry
la crevaison }
le pneu crevé } puncture
le cric   (lifting) jack
dépanner   to repair (cars, etc.)
être en panne   to have a breakdown
le manque d'eau   lack of water
le manque d'essence   lack of petrol
le manque d'huile   lack of oil
le mécanicien   mechanic
remorquer   to tow
les réparations (*fpl*)   repairs
la roue de secours   spare wheel.

MEUBLES

The regular future tense

In Unit 3 in this book you saw in John Smith's letter of confirmation to the hotel . . .

Je prendrai   (I shall take)

The future tense of regular verbs is formed by adding the following endings:

je   –**ai**
tu   –**as**
il   –**a**
elle   –**a**
nous   – **ons**
vous   – **ez**
ils   – **ont**
elles – **ont**

(1) to the infinitive of '-er' and '-ir' verbs

e.g. **Arriver**   to arrive
　　　J'arriver**ai**   I shall arrive, etc
　　　Tu arriver**as**
　　　Il arriver**a**
　　　Elle arriver**a**
　　　Nous arriver**ons**
　　　Vous arriver**ez**
　　　Ils arriver**ont**
　　　Elles arriver**ont**

　　　Finir   to finish
　　　Je finir**ai**   I shall finish, etc
　　　Tu finir**as**
　　　Il finir**a**
　　　Elle finir**a**
　　　Nous finir**ons**
　　　Vous finir**ez**

(2) to the infinitive of 're' verbs *but* without the final 'e'

e.g. **prendre**   to take
　　　Je prendr**ai**   I shall take, etc
　　　Tu prendr**as**
　　　Il prendr**a**
　　　Elle prendr**a**
　　　Nous prendr**ons**
　　　Vous prendr**ez**
　　　Ils prendr**ont**
　　　Elles prendr**ont**

La voiture de la famille Gavarin en panne

Dimanche dernier la famille Gavarin est allée à la campagne. Le matin ils ont fait un tour de la région en voiture. Mais l'après-midi, parce qu'il faisait très chaud, ils sont restés longtemps près d'une fontaine. Les enfants aiment bien l'eau fraîche de la source et Madame Gavarin en rapporte à la maison dans un gros bidon. Elle préfère l'eau de la source à l'eau du robinet de la cuisine.

En rentrant le soir, malheureusement la voiture est tombée en panne. Monsieur Gavarin ne se connaît pas en dépannage. Pour lui, la voiture est un objet mystérieux. Quand la voiture tombe en panne, il doit toujours chercher un mécanicien pour la dépanner. Mais . . . où en trouver un aujourd'hui? Les voilà en pleine campagne!

'Je téléphonerai au garage,' a dit Monsieur Gavarin.

'Mais il n'y a pas de cabines téléphoniques ici,' a répondu Madame Gavarin.

'Il y en a au village là-bas,' a continué Monsieur Gavarin. 'Tu attendras ici avec les enfants. Je chercherai d'abord le téléphone au café. Je demanderai un jeton au garçon et je prendrai un verre en même temps. Je téléphonerai au garage Châteauneuf. D'habitude les garages sont fermés le dimanche mais Monsieur Châteauneuf ne quitte guère son garage.'

Monsieur Gavarin est donc allé au village à pied. Il a téléphoné au garage Châteauneuf et Monsieur Châteauneuf lui a dit, 'Mais oui, certainement. Je chercherai votre voiture tout de suite avec mon camion-remorque et je vous ramènerai chez vous. Ne vous inquiétez pas.'

New words

faire un tour   to go around
la fontaine   fountain/pool of running water
fraîche (*f*) ⎱
frais (*m*)   ⎰ fresh
la source   spring (water)
le bidon   large container (for liquids)
tomber en panne   to break down
un objet   object
mystérieux   mysterious
en pleine campagne   in the open countryside
prendre un verre   to have a drink
ne . . . guère   scarcely/hardly ever
ramener   to bring/take back

Monsieur Gavarin téléphone au garage

Monsieur Gavarin téléphone au garage Châteauneuf.

Monsieur Gavarin: Allô. Le garage Châteauneuf? Ici
   Philippe Gavarin. Ma voiture est tombée en panne
   à deux kilomètres de Mornay, sur la route de
   Niort. Vous pouvez venir m'aider?

Monsieur Châteauneuf: Vous avez vérifié le niveau
   d'eau, d'huile et d'essence?

Monsieur Gavarin: Oui. J'ai fait le plein d'essence
   avant de partir et j'ai vérifié le niveau d'eau et
   d'huile. Je ne comprends pas pourquoi la voiture
   est tombée en panne.

Monsieur Châteauneuf: Alors, restez avec la voiture.
   Je chercherai mon camion-remorque et je partirai
   tout de suite. Quelle marque avez-vous?

Monsieur Gavarin: C'est une Peugeot 505. Elle est
   bleue.

Monsieur Châteauneuf: Bon. J'arriverai dans une
   demi-heure. A bientôt.

New words

Allô   Hello (when phoning)
la marque   make/trademark
N.B.   See Unit 21, Volume 2 for revision of other
   words here.

Further vocabulary

vérifier l'eau des accus   to check the battery water-level
vérifier la pression des pneus   to check the tyre pressure

General information

Motorways

If you have a breakdown on a motorway in France,
look for the orange-coloured emergency phones (as on
motorways in this country). They are spaced about
every two kilometres. They will connect you with the
motorway police – **Service de Police** or
Gendarmerie Autoroute.

Signs

You may see the following signs when motoring in
France.

Itinéraire bis   an alternative route avoiding
congested main roads.

Péage   Toll
Périphérique   ring road

In the summer holiday period you will see on TV
Bison Futé – a clever Red Indian cartoon character
who gives traffic information.

Phoning in France

Remember that you can phone from the following
places in France . . .
   The Post Office   **le bureau de poste**
   Telephone kiosks   **une cabine téléphonique**
   Cafés (for local calls)   **un café**
If you use the telephone kiosk, you will see the
following instructions . . .
(1) **Introduisez dans la fente 1F.**
(2) **Décrochez le combiné.**
(3) **Attendez la tonalité.**
(4) **Composez le numéro.**
(5) **Appuyez sur le bouton A.**
Do you know what they mean?
(If you need to revise phoning in France, check back to
Volume 2, Unit 6.)

Activités

1 *Répondez en français.*

(a) Il y a un garage près de chez toi?

(b) Où se trouve le garage?

(c) Ton père sait dépanner la voiture?

(d) Sais-tu dépanner la voiture?

(e) Et ta mère, sait-elle dépanner la voiture?

(f) Sait-elle changer la roue de secours?

(g) Tu as jamais été en panne?

(h) Qu'est-ce que tu as fait?

(i) Tu as téléphoné au garage?

(j) A-t-on remorqué ta voiture?

2 Change the verb in the following sentences from the present tense to the future tense.

e.g. Je cherche un garage.

Je **chercherai** un garage.

(a) Nous cherchons un garage.

(b) Il arrive au garage à une heure.

(c) Le mécanicien fait les réparations.

(d) Je retourne à cinq heures.

(e) Nous attendons une demi-heure.

(f) Vous attendez le mécanicien?

(g) Ils finissent les réparations.

(h) Elle indique le pneu crevé.

(i) Il remorque la voiture.

(j) Le moteur ne marche pas.

3 Now say in English what the new sentences mean.

4 Use the future tense in your answers to the following questions. *Répondez en français.*

e.g. Tu arriveras à quelle heure? (5)

J'arriverai à cinq heures

(a) Tu arriveras à quelle heure? (8)

(b) Elle arrivera à quelle heure? (11)

(c) Il finira à quelle heure? (4)

(d) Vous finirez à quelle heure? (noon)

(e) Vous finirez quand? (6)

(f) Il retournera quand? (10)

(g) Tu retourneras quand? (2)

(h) J'attendrai combien de temps? (1 hour)

(i) Vous attendrez combien de temps? (½ hour)

(j) Je prendrai la voiture quand? (7)

5 Use the future tense to express the following in French.

(a) I will finish at seven o'clock.

(b) I will watch television.

(c) I'll take the bus.

(d) When will you arrive?

(e) When will they arrive?

(f) Will you wait?

(g) Will you play tennis tomorrow?

(h) I'll look for my father.

(i) He will finish soon.

(j) She will choose a new car.

6 Avez-vous compris? Answer the following questions by choosing which answer you think is the most appropriate.

(a) Where did the Gavarin family go last Sunday?

(i) To a garage

(ii) To the country

(iii) To a café

(iv) On holiday

(b) Where did they spend the afternoon?

(i) On a river

(ii) In a fountain

(iii) By a pool

(iv) At a café

(c) What is Madame Gavarin going to take back home?

(i) Water

(ii) Flowers

(iii) Shrubs

(iv) A large cake

(d) Where did the car break down?

(i) In a village

(ii) In a town

(iii) Near home

(iv) On the way back

(e) What does Monsieur Gavarin know about car repairs?

(i) Nothing

(ii) A little

(iii) A lot

(iv) Everything

(f) What does Monsieur Gavarin normally do when the car breaks down?

(i) Repairs it himself.

(ii) Tries to repair it himself.

(iii) Sends for a mechanic.

(iv) Asks a friend to help.

(g) What does Monsieur Gavarin say that he is going to do?

(i) Go to the café.

(ii) Go to the garage.

(iii) Wait with the car.

(iv) Send for help.

(h) What is Madame Gavarin going to do?

(i) Go with Monsieur Gavarin.

(ii) Stay with Monsieur Gavarin.

(iii) Telephone the garage.

(iv) Stay with the children.

(i) What is Monsieur Châteauneuf's reaction to Monsieur Gavarin's phone-call?

(i) He is going to come at once.

(ii) He will come later.

(iii) He will pick up the car tomorrow.

(iv) He will send one of his mechanics.

(j) How will the Gavarins get back home?

(i) On foot

(ii) On tow

(iii) In a taxi

(iv) In a hired car

Activités continued

7 Your parents' car has broken down in France. You are phoning a garage.

(a) Say hello and ask if it is the garage Châteauneuf?

(b) Say that you parents' car has broken down 3 kilometres from Rouen on the Dieppe road.

(c) Ask if they can come and help you.

(d) Say that you will stay with the car and that it is a Ford.

(e) Ask when he will arrive and thank him.

8 The garage mechanic has now arrived and asks you some questions.

(a) Vous avez de l'essence?
(Say yes and that you filled up with petrol this morning.)

(b) Vous avez vérifié l'huile et l'eau?
(Say that you checked them this morning.)

(c) Vous avez vérifié l'eau des accus.
(Say yes and that you checked it yesterday.)

(d) Vous avez fait combien de kilomètres aujourd'hui?
(Say that you have done a hundred kilometres today.)

Now it is your turn to ask the mechanic some questions.

(e) Ask him if it is serious ('grave').

(f) Ask him if he can repair it.

(g) Tell him that you are in a hurry (pressé).

(h) Ask how much it will cost.

9 A French family on holiday in England has a breakdown near your home. They ask you the following questions.

(a) Il y a un garage près d'ici?

(b) Où peut-on téléphoner?

(c) Il y a un café près d'ici?

(d) Faut-il avertir la police?

(e) Peut-on louer une voiture au garage?

Tell them in French that . . .

(a) there is a garage 2 kilometres from here

(b) there is a telephone kiosk in the village

(c) there is also a café in the village

(d) they do not need to notify the police

(e) you are sorry but that you do not know

10 Imagine that you are writing to your French penfriend and telling him/her about an outing you had last weekend with your family. How would you write the following in French (take care to use the corrrect tenses)?

Say that last Saturday you went to the country with your family but that the car broke down. Say that the weather was warm and that you walked* to the village to telephone the garage. A mechanic soon arrived and your father helped* him to repair* the car. Say that all the family was tired and that you returned home at five o'clock.

* **Useful reminders**
  to walk   **aller à pied**
  to help   **aider à**
  to repair   **dépanner**

Unit 5

Au bar-tabac
At the local café/
tobacconists

This unit covers:
(1) using a phone in a cafe;
(2) ordering snacks and drinks;
(3) what to do and say if your bill is incorrect;
(4) giving an oral and written account of intentions;
(5) reading comprehension;
(6) **grammar:** some irregular verbs in the future tense; revising ordering and making requests.

Continuation of the future tense

In Unit 4 you learnt how to form the future tense of regular verbs. You already know from Volumes 1 and 2 that there are many irregular verbs in French (i.e. verbs which do not follow the regular pattern of '-er', '-ir' and '-re' verbs). You must now learn the future tense of some of the most frequently used irregular verbs. The endings will still be the same as those given in Unit 4,

i.e. je – **ai**
tu – **as**
il – **a**
elle –**a**
nous – **ons**
vous – **ez**
ils – **ont**
elles – **ont**

Care must be taken to learn the beginnings of these verbs as they are often very different from the present tense.

Here are some of the most important ones:

être	avoir
je serai I shall be, etc.	**j'aurai** I shall have, etc.
tu seras	**tu auras**
il sera	**il aura**
elle sera	**elle aura**
nous serons	**nous aurons**
vous serez	**vous aurez**
ils seront	**ils auront**
elles seront	**elles auront**

faire	aller
je ferai I shall make/	**j'irai** I shall go, etc.
tu feras do, etc.	**tu iras**
il fera	**il ira**
elle fera	**elle ira**
nous ferons	**nous irons**
vous ferez	**vous irez**
ils feront	**ils iront**
elles feront	**elles iront**

Once you have learnt the endings **which are the same for all verbs** in the future tense, you should concentrate on learning the 'je' form of irregular verbs since the beginning will stay the same throughout the verb in this tense.

Further important irregular verbs

pouvoir	**je pourrai**	I shall be able
venir	**je viendrai**	I shall come
voir	**je verrai**	I shall see
vouloir	**je voudrai**	I shall want/wish
pleuvoir	**il pleuvra**	It will rain

Monsieur Gavarin au bar-tabac

Quand Monsieur Gavarin est allé au village dimanche dernier, il n'a pas trouvé de café mais il a trouvé un bar-tabac dans la rue principale. Il y est entré. Le garçon l'a vu tout de suite et s'est approché de lui.
Le garçon: Bonjour, monsieur. Vous désirez?
Monsieur Gavarin: Vous avez un téléphone ici?
Le garçon: Oui, monsieur, là-bas sur le comptoir.
Monsieur Gavarin: Je pourrai téléphoner?
Le garçon: Bien sûr, monsieur, vous désirez un jeton?
Monsieur Gavarin: Oui, s'il vous plaît, et donnez-moi un whisky aussi.

Monsieur Gavarin a composé le numéro du garage Châteauneuf. Il a expliqué ce qui est arrivé. Puis il s'est assis à une table pour boire son whisky. Il a acheté aussi des cigarettes car aux bar-tabacs on vend du tabac, des cigarettes, des allumettes et même des timbres-poste.

Puis il a demandé l'addition au garçon. Le garçon la lui a donnée mais elle était fausse!

Monsieur Gavarin: Garçon. Ici c'est marqué un whisky et un café. Je n'ai pas pris de café!

Le garçon: Oh, pardon, monsieur. Je me suis trompé. Ce n'est pas votre note. C'est la note du monsieur là-bas. Voici votre note.

New words

la rue principale the main street
composer le numéro to dial the number
arriver to happen
même even
l'addition (f) bill
la note (also) bill
fausse (f) false/incorrect (the masculine form is **faux**)
marqué marked/written down

Unit 5 continued

Further information

If a mistake has been made on a bill, here are some expressions which might be useful.

Pardon, monsieur (madame), il y a erreur . . .

Pardon, monsieur (madame), vous vous êtes trompé(e) . . .

On a eu . . .
On a pris . . . } I/we had . . .

On n'a pas eu . . .
On n'a pas pris . . . } I/we did not have . . .

If there is a mistake in the adding-up . . .

Vous avez mal calculé . . .

Le bar-tabac 'Le Rallye'

Voici un bar-tabac à Paris. Il se trouve dans la rue St Honoré à la rive droite. Il y a une banque à côté du bar et un hôtel en face. Dans la rue il y a beaucoup de voitures et de camionettes. Près de la voiture au premier plan, il y a un parcmètre.

New words

la rive   (river) bank
la camionette   van
au premier plan   in the foreground
le parcmètre   parking meter

Un marchand de glaces

Voici un marchand de glaces à Lyon. On peut y
acheter des glaces de tous les parfums – à la vanille,
au citron, au chocolat, à la fraise, à la framboise, à la
cerise. On peut demander un cornet simple/double et
si on est gourmand, un cornet triple! Le marchand de
glaces vous offre souvent des sorbets – ce sont des
glaces à base de jus de fruit.

New words
gourmand   greedy
un sorbet   water ice
à base de   made from

Un café-restaurant

Voici un café-restaurant. Le chef (en carton) tient* le
menu. On peut commander des snacks à toute heure
de la journée mais entre midi et deux heures et demie
et à partir de sept heures du soir, il y a des repas à prix
fixe. Ce sont des repas simples et pas trop chers. On
offre chaque jour un 'plat du jour' différent.

New words
le carton   cardboard
tient*   (present tense of the verb 'tenir' to hold. It has
     the same form as 'venir')
à partir de   from
le plat du jour   today's speciality.

Unit 5 continued

Une cafétéria

Si vous cherchez à manger en ville et si vous êtes pressés, allez dans une cafétéria. Vous aurez un choix de plats – omelettes, salades, pizzas, grillades, et des casse-croûtes de toutes sortes – quiche lorraine, croque-monsieur, sandwichs, etc. Vous verrez aussi les mots 'Snack', 'Self' ou 'Libre-service' marqués sur la vitrine. Entrez-y et choisissez!

New words

pressé   in a hurry
le plat   dish
une grillade   grill

Activités

1 Learn the irregular future tense, as shown on p 35, carefully.

2 Complete the following sentences with the correct part of the future tense of the verb given.

(a) Nous (venir) jeudi.
(b) Je (venir) lundi.
(c) Il (pleuvoir) demain.
(d) Vous (avoir) chaud.
(e) Elles (faire) une promenade.
(f) Tu (aller) avec elle.
(g) Vous (pouvoir) rester dix jours.
(h) Ils (vouloir) aller avec vous.
(i) Je (voir) mes amis bientôt.
(j) Tu (être) en retard.

3 Now say what the completed sentences mean in English.

4 How would you tell someone in French . . .?

(a) I shall be late.
(b) She will come on Sunday.
(c) They (*masc.*) will be able to stay for a week.
(d) (To a friend) You will be cold.
(e) We will go for a walk.
(f) You (*plural*) will see my teacher.
(g) He will go to the cinema on Saturday.
(h) I shall go to town.
(i) (To a friend) Will you come too?
(j) I shall be at home this evening.

5 You are writing to your French penfriend about his/her planned visit to your home. How would you tell him/her . . .?

(a) I shall come to the airport next Thursday.
(b) My parents will be with me.
(c) We shall wait in the main hall (**le hall**) of the airport
(d) We shall be able to help you with your luggage.
(e) We shall reach (**arriver à**) home at seven o'clock. You then tell him/her about the plans you have been making.
(f) We shall be able to go swimming.
(g) We shall go to London.
(h) You will meet my friends.
(i) We shall have a party.
(j) There will be a lot to do (**à faire**).

6 Next year you hope to go and stay with your penfriend in France. He/she writes to you telling you some of the things you will be able to do. Tell your parents in English what he/she says.

. . . Tu pourras faire la connaissance de mes copains. Nous irons les rencontrer au bar-tabac. En France il y a des bars dans tous les villages. On peut y prendre du café et des boissons non-alcoolisées à toute heure de la journée. Les adultes peuvent y prendre des boissons alcoolisées aussi. Au bar nous parlerons ou jouerons au baby-foot (c'est comme un jeu de football qu'on joue sur une table). Nous prendrons un coca ou un citron pressé. Tu pourras acheter des cartes postales au bar-tabac pour envoyer à ta famille . . .

New words

une boisson non-alcoolisée   a non-alcoholic drink
le baby-foot   table-football
le jeu   game (*pl* jeu**x**)

7 Answer the following questions about the passage 'Monsieur Gavarin au bar-tabac' in English.

(a) Did Monsieur Gavarin find a café in the village?
(b) In what part of the village was the 'bar-tabac'?
(c) What does Monsieur Gavarin ask first?
(d) Where is it?
(e) What will he need for this?
(f) What does Monsieur Gavarin order to drink?
(g) Where does he drink it?
(h) What else does he buy?
(i) What is wrong with Monsieur Gavarin's bill?
(j) What is the waiter's explanation?

8 You have gone into a bar-tabac to use the phone. Express the following in French.

(a) Say Hello to the waiter.
(b) Ask if there is a phone.
(c) Ask if you may use it.
(d) Ask where it is.
(e) Ask for a 'jeton'.
(f) Thank the waiter.

Base your answers on the information given in the passage 'Monsieur Gavarin au bar-tabac'.

9 While at the bar-tabac you decide to have something to drink. Use the future tense of 'prendre' in the following sentences.

(a) I'll have a coffee, please.
(b) We'll have two lemon squashes, please.
(c) We'll have two white coffees, please.
(d) I'll have a coca-cola, please.
(e) I'll have a hot chocolate, please.

(If you have forgotten the words for these drinks in French, revise Volume 1 Unit 20.)

Activités continued

10 You have just received this bill at the bar-tabac, but it is incorrect.

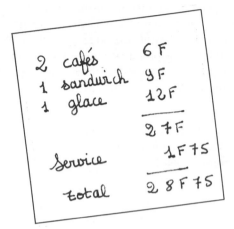

(a) Tell the waiter that there is a mistake.
(b) Tell him that two coffees are written down (Use 'Ici c'est marqué . . .')
(c) Tell him that you had one coffee, one sandwich and one ice-cream.

11 On another occasion you receive this bill.

(a) Check it carefully to find out where the mistake is.
(b) Now tell the waiter that there is a mistake.
(c) Say that he has calculated wrongly.
(d) Give the correct total in French.
  (Use 'Vingt-deux francs et un franc quarante-cinq font . . .')
(e) Ask him to check the bill.
  (Use 'Voulez-vous . . .')

12 Regardez la photo du bar-tabac. Répondez en français.
(a) Dans quelle ville se trouve le bar-tabac 'Le Rallye'?
(b) Dans quel quartier de la ville?
(c) Qu'est-ce qu'il y a à côté du bar?
(d) Qu'est-ce qu'il y a en face du bar?
(e) Qu'est-ce qu'il y a près de la voiture au premier plan?

13 Answer the following questions in English.
(a) Give in English the six ice-cream flavours mentioned under the second photo.
(b) What is 'un cornet simple'?
(c) What is a 'sorbet' made from?
(d) At what time of day can set meals be ordered at the 'chef' restaurant?
(e) Are they expensive?
(f) What is offered each day?
(g) What type of person might eat in a cafeteria?
(h) What is a 'casse-croûte'? (see Volume 1)
(i) What is a 'croque monsieur'? (see Volume 1)
(j) Where would you be if you were in a 'Self'?

14 (a) You are in a bar-tabac. In French order three coca-colas.
(b) You are at an ice-cream stall. Order a single chocolate ice-cream and a double vanilla/strawberry ice-cream.
(c) You are in a café-restaurant. Order two 'today's special'.
(d) You are in a cafetéria. Ask where you should pay.

15 Which of the following would you *not* be able to buy in a 'bar-tabac'?
  du vin
  des cigarettes
  un disque
  une glace
  une carte postale
  un journal
  un café
  un citron pressé
  une orange pressée
  un whisky

16 How to make a croque-monsieur
  Make the following for your supper!
  (1) Toast a slice of bread on both sides.
  (2) Butter one side.
  (3) Now place a slice of boiled ham on it.
  (4) Grate 2 oz of cheese and place on the boiled ham. Grill until the cheese melts.

  You now have a 'croque-monsieur'.

Unit 6

Au marché/At the local market

This unit covers:
(1) reading comprehension;
(2) asking and answering questions;
(3) descriptive letter-writing;
(4) shopping in a market;
(5) **grammar:** further irregular verbs in the future; present tense with 'si'; use of 'aller' + infinitive.

Au marché de Valréas

Each town in France has at least one market day each week which lasts from about 7.30 am to midday. Large towns often have two or three market days each week and in Paris there are daily markets.

A Valréas il y a un marché le mercredi et le samedi sur la place de la poste. Madame Gavarin aime bien les jours de marché. S'il fait beau ou s'il pleut elle fait toutes les allées du marché. Elle regarde tous les étalages. Sur les étalages les marchands déplient une bâche qui les abritent du soleil en été et de la pluie en hiver.

Au marché de Valréas il y a de tout – charcuterie, poisson, viande, volaille, légumes, fruits, fleurs. Il y a des produits laitiers, des bonbons et des gâteaux. Il y a des produits en cuir et en matière plastique, de la vaisselle et tout le linge de maison.

Madame Gavarin passe une heure et demie au marché. Elle entend les marchands qui appellent les clients mais elle a ses marchands préférés. S'ils la voient, ils lui diront 'Bonjour, Madame'. Elle achètera peut-être de la viande, des légumes et du fromage de chèvre. Monsieur Gavarin aime bien le fromage de chèvre.

Le marché de Valréas est toujours très animé mais les ménagères ne peuvent pas tout acheter. L'argent disparaît vite quand on fait son marché.

New words

une allée   path/walkway
un étalage   stall
déplier   to unfold/stretch
la bâche   canvas cover
abriter   to shade/shelter
la volaille   poultry
les produits laitiers   dairy produce
les bonbons   sweets
les gâteaux   cakes
le cuir   leather
la matière plastique   plastic
la vaisselle   crockery
le linge   linen
peut-être   perhaps
la chèvre   goat
animé   busy/lively
la ménagère   housewife
disparaître   to disappear (this verb is like 'connaître', see Volume 2 Unit 9)

Unit 6 continued

The future tense: irregular verbs

Here are some more irregular futures which you need to know.

jeter
je jetterai   I shall throw, etc.
tu jetteras
il jettera
elle jettera
nous jetterons
vous jetterez
ils jetteront
elles jetteront

appeler
j'appellerai   I shall call, etc.
tu appelleras
il appellera
elle appellera
nous appellerons
vous appellerez
ils appelleront
elles appelleront

N.B. the double consonants ('tt' and 'll') in all parts of the future tense of these verbs.

acheter
j'achèterai   I shall buy, etc.
tu achèteras
il achètera
elle achètera
nous achèterons
vous achèterez
ils achèteront
elles achèteront
N.B. 'se promener' is similar in the future tense . . .
je me promènerai, etc.

envoyer has a different form in the future tense:
j'enverrai   I shall send, etc.
tu enverras
il enverra
elle enverra
nous enverrons
vous enverrez
ils enverront
elles enverront.

Further information
Although you need to recognize and be able to use the future tense, you will often hear French-speaking people use the present tense of 'aller' + the infinitive to express the future.

e.g. **Je vais acheter du** pain.
I will (am going to) buy some bread.

Nous allons faire une promenade.
We will (are going to) go for a walk.

Il va arriver demain.
He will (is going to) arrive tomorrow.

Practise both ways of expressing the future and listen carefully to French people when you are in France to see which they use most often.

Au marché

Voici un coin du marché de Valréas. C'est l'étalage du fruitier. Au premier plan il y a des melons. Les melons sont délicieux en France. Près des melons il y a des raisins. Les Français aiment bien les fruits et vous verrez un grand choix de fruits et de légumes au marché. Les ménagères choisissent tout avec soin. Elles tâtent les fruits avant de les acheter pour savoir s'ils sont bien mûrs.

Comme vous voyez, les hommes aussi s'intéressent au marché. On dit que ce sont les femmes qui aiment faire le marché mais vous verrez autant d'hommes que de femmes aux marché de Valréas.

Écoutez la conversation suivante.

Marchand: Bonjour, monsieur, vous désirez?
Client: Je voudrais deux melons, s'il vous plaît.
Marchand: Oui, monsieur, et avec ça?
Client: Donnez-moi aussi un kilo de raisins.
Marchand: Oui, monsieur, et avec ça?
Client: C'est tout merci Je vous dois combien*?

* Remember that the verb 'devoir' also means 'to owe'. This is another way of asking 'How much'?

New words

le fruitier   fruiterer
les raisins   grapes
tâter   to touch/feel
mûr   ripe
client   customer
autant de . . . que   as many . . . as
ça   that

Activités

1 Learn all the new words.

2 Answer the following questions by choosing which of the given answers is the most appropriate.

(a) On what day(s) of the week is there a market at Valréas?
   (i) Monday and Wednesday
   (ii) Tuesday and Saturday
   (iii) Wednesday and Saturday
   (iv) Saturday only

(b) In what part of the town is the market held?
   (i) In the Post Office square
   (ii) In the town centre
   (iii) On the outskirts of the town
   (iv) In the commercial centre

(c) What do the stallholders erect on their stalls?
   (i) Sun-umbrellas
   (ii) Shop-signs
   (iii) Lights
   (iv) Covers

(d) What can be bought at the market?
   (i) Everything
   (ii) Only local produce
   (iii) A limited choice of goods
   (iv) Only fruit and vegetables

(e) How much time does Madame Gavarin usually spend in the market?
   (i) Half an hour
   (ii) An hour
   (iii) An hour and a half
   (iv) Two hours

Activités continued

(f) What does Madame Gavarin hear at the market?
  (i) Stallholders calling their wares
  (ii) Stallholders calling their customers
  (iii) Stallholders comparing prices
  (iv) Stallholders shouting at each other
(g) Which stalls does Madame Gavarin shop at?
  (i) All of them
  (ii) The cheapest
  (iii) The busiest
  (iv) Her favourite
(h) What will she usually buy?
  (i) Food
  (ii) Household goods
  (iii) Presents
  (iv) Bargains
(i) What is the market at Valréas like?
  (i) Expensive
  (ii) Cheap
  (iii) Well-organized
  (iv) Busy
(j) What happens to the housewives' money in the market?
  (i) It is sometimes stolen
  (ii) It goes a long way
  (iii) It disappears quickly
  (iv) It is wasted

3 Here are some signs you might see in a French market. Do you know what they mean?

(a) NE PAS SE SERVIR
(b) LA DOUZAINE: 7F 50
(c) VOLAILLE
(d) PANTALONS ENFANTS
(e) PULLS: FILLES ET GARÇONS.

4 Complete the following sentences with the correct part of the future tense.
(a) Je (jeter) le ballon*.
(b) Ils (acheter) des bonbons.
(c) Elle (appeler) le marchand.
(d) Vous (se promener)?
(e) Tu (envoyer) des cartes postales?
(f) Nous (acheter) des chaussures.
(g) Tu (jeter) le ballon?
(h) J'(envoyer) une lettre à ma tante.
(i) Il (acheter) des légumes au marché
(j) Nous (se promener).
* **le ballon** ball

5 Now say what the completed sentences mean in English.

6 Now rewrite the sentences in Activité 4 using the present tense of 'aller' + the infinitive instead of the future tense.
e.g. Je vais jeter le ballon.

7 *Que feras-tu?* Use the future tense to say what you will do in the following instances. Begin each of your answers with the words underlined in the question.
e.g. Que feras-tu s'il fait beau demain?
S'il fait beau demain, je sortirai avec mes amis.
(a) Que feras-tu s'il pleut demain?
(b) Que feras-tu s'il fait beau dimanche?
(c) Que feras-tu s'il pleut dimanche?
(d) Que feras-tu s'il fait beau samedi?
(e) Que feras-tu s'il pleut samedi?
N.B. The future tense is *not* used after 'si'.

8 *Répondez en français.*
(a) Il y a un marché dans ta ville/ton village?
(b) Combien de jours par semaine?
(c) Tu vas au marché?
(d) Qu'est-ce que tu y achètes?
(e) Tu préfères acheter des provisions ou des vêtements?
(f) Si tes parents te donnent de l'argent de poche cette semaine, qu'est-ce que tu achèteras?
(g) Si ta mère va au marché, qu'est-ce qu'elle achètera?
(h) Si ton père va au marché, qu'est-ce qu'il achètera?
(i) Tu préfères le marché à l'hypermarché?
(j) Si tu vas à l'hypermarché, qu'est-ce que tu achèteras?

9 Write a letter to your French penfriend. Describe your local market to him/her. Tell him/her what you will buy there when you go and what else there is to buy. Check again the vocabulary in the passage at the beginning of the Unit.

10 *Répondez en français.*
(a) Qu'est-ce qu'on peut acheter à l'étalage qu'on voit sur la première photo?
(b) Comment sont les melons en France?
(c) Pourquoi les ménagères tâtent-elles les fruits avant de les acheter?
(d) Est-ce que les hommes s'intéressent au marché?
(e) Vous verrez moins* d'hommes que de femmes au marché de Valréas?
* fewer

11 *Now your turn.* You are shopping in a market in France. Complete the following in French.

Marchand: Bonjour, monsieur (mademoiselle), vous désirez?

Vous: Say that you would like 3 melons.

Marchand: Oui, monsieur (mademoiselle), et avec ça?

Vous: Say that you would like half a kilo of grapes.

Marchand: Oui, monsieur (mademoiselle), et avec ça?

Vous: Say that you would like a kilo of peaches (**pêches**).

Marchand: Oui, monsieur (mademoiselle), et avec ça?

Vous: Say that that is all and ask how much you have to pay.

12 Revise Unit 24, Volume 1.
You are still in the market and want to buy something to wear. Remember to check your continental size. You have probably grown since you worked through Volume 1!

Marchand: Bonjour, monsieur (mademoiselle), vous désirez?

Vous: Say that you are looking for a pair of trousers.

Marchand: De quelle taille, monsieur (mademoiselle)?

Vous: Give your size in French.

Marchand: Et de quelle couleur?

Vous: Choose one of the following colours – white/ brown/black.

Marchand: Voilà, monsieur (mademoiselle).

Vous: Say that you will have this pair of trousers and ask how much they cost.

You then go to the shoe-stall.

Marchand: Bonjour, monsieur (mademoiselle). Vous désirez?

Vous: Say that you are looking for some trainers (use 'des tennis' or 'des baskets')

Marchand: De quelle pointure monsieur (mademoiselle)?

Vous: Give your continental size.

Marchand: Voilà des tennis (baskets) de votre pointure.

Vous: Ask if you can try (**essayer**) them on.

Marchand: Bien sûr, monsieur (mademoiselle), asseyez-vous là.

Vous: Say that they fit (use 'aller') you well and ask how much they are.

Marchand: Cent cinquante francs, monsieur (mademoiselle)

Vous: Say that you will take them.

13 Look at the three signs behind the stall, near the tree. What are they pointing to?

Unit 7

Les fêtes/ Festivals and celebrations

This unit covers:
(1) reading comprehension;
(2) offering congratulations and best wishes;
(3) letter-writing expressing congratulations and best wishes;
(4) requesting and giving information about celebrations;
(5) **grammar:** 'ce qui', 'ce que' and 'ce dont'; the verb 'boire'.

Le mariage de Sylvie et Laurent

Voici un extrait d'un journal français qui annonce qu'un mariage aura lieu entre Sylviane Deville et Laurent Renault. Laurent est un cousin de la famille Gavarin. Il a vingt-quatre ans et Sylviane a vingt-deux ans. Après leur mariage ils vont s'installer dans un grand immeuble près du centre commercial de Valréas.

> *M et Mme Jaques Deville*
> *et M et Mme Raymond Renault*
>
> *sont heureux de faire part du mariage de leurs enfants*
>
> *Sylviane et Laurent*
>
> *La cérémonie aura lieu à Valréas*
> *le 8 juillet 1985*

Monsieur et Madame Gavarin, Céline et Marc sont invités au mariage de leur cousin Laurent avec Sylviane Deville. Il y aura soixante invités. D'abord tout le monde se réunira à la mairie pour le mariage civil car en France c'est le maire qui marie les couples. Pour le mariage civil la famille et les amis du couple décorent la salle où le mariage sera célébré. Le maire porte une écharpe tricolore – ce qui est une sorte de ceinture dont les couleurs sont bleu, blanc et rouge – les couleurs du drapeau français. Après le mariage civil il y a le mariage religieux à l'église. Après les deux cérémonies les parents de la mariée offrent aux invités un déjeuner ou un dîner au restaurant – ce qu'on appelle 'le repas des noces'. C'est

un grand repas qui prend quelques heures. Après le repas on chante, on danse, on boit à la santé des mariés. Enfin les mariés partent en voyage – ce qu'on appelle 'la lune de miel'.

Evidemment Madame Gavarin et Céline désirent acheter un ensemble neuf – ce qui va coûter cher à Monsieur Gavarin. Elles lui expliquent ce dont elles ont besoin – une nouvelle robe, un chapeau peut-être et de nouvelles chaussures. Et Monsieur Gavarin? Il leur dit 'Et moi . . . je veux gagner à la loterie nationale!'

New words

un extrait   extract
avoir lieu   to take place
s'installer   to move into
un immeuble   a block of flats
heureux   happy
la cérémonie   ceremony
un invité   guest
se réunir   to gather together
la mairie   town hall
le maire   mayor
décorer   to decorate
célébrer   to celebrate
une écharpe   sash (also scarf)
la ceinture   belt
la mariée   bride
le déjeuner   lunch
le dîner   dinner
les noces   wedding (another word which is always plural)
boire*   to drink
la lune de miel   honeymoon
évidemment   obviously
neuf   new (*f* neuve)
la loterie nationale   the national lottery

* an irregular verb – present tense: **je bois, tu bois, il boit, elle boit, nous buvons, vous buvez, ils boivent, elles boivent;** perfect tense: **j'ai bu**

'Ce qui', 'ce que' and 'ce dont'

In the passage earlier in this Unit you saw . . .
Madame Gavarin et Céline désirent acheter un ensemble neuf – **ce qui** va coûter cher à Monsieur Gavarin.
Les parents de la mariée offrent aux invités un déjeuner ou un dîner . . . **ce qu**'on appelle 'le repas des noces'.
Elles lui expliquent **ce dont** elles ont besoin.
Each of the three expressions printed in bold above can be translated by '(that) which'. They each refer to the sense of the previous statement.
'Ce qui', 'ce que' and 'ce dont' have the same grammatical function as 'qui', 'que' and 'dont' (see Unit 2 in Volume 2 and in this Volume)
i.e. 'ce qui' is the *subject* of the verb which follows.
{ 'ce que' is the *object* of the verb which follows.
{ 'ce qu' (before a vowel)
'ce dont' is used when 'of' is implied
e.g. to need, to have need of   **avoir besoin de**.

Les fêtes en France

(1) Les fêtes religieuses

Il y a plusieurs fêtes religieuses en France. Comme vous, les Français célèbrent la fête de Noël. La veille de Noël beaucoup de monde va à l'église pour assister à la messe de minuit. Après la messe on retourne à la maison pour le réveillon – c'est un grand repas spécial. Les enfants laissent leurs chaussures près de la cheminée pour les cadeaux du père Noël.

Le 6 janvier c'est la fête des Rois. Au repas du soir on mange la galette des rois – c'est un gâteau spécial dans lequel est caché une fève. Celui qui trouve la fève dans son morceau de gâteau est proclamé 'roi'.

Au cours de l'année il y a d'autres fêtes religieuses – le Mardi Gras, Pâques et la Pentecôte par exemple.

(2) Les fêtes civiles

Le jour de l'an est une fête importante en France. C'est un jour férié. On rend souvent visite à des amis ou à des parents. La plupart des Français envoient les cartes de nouvel an tandis que les Anglais envoient des cartes de Noël. En France on offre aussi les étrennes – des cadeaux à l'occasion du premier jour de l'an.

Le premier mai a deux titres en France. C'est la fête du Travail et aussi la fête du Muguet. On achète des brins de muguet pour offrir à ses amis et à sa famille en porte-bonheur.

La Fête Nationale a lieu le quatorze juillet. On fête le commencement de la révolution française en 1789. Aujourd'hui on célèbre avec les feux d'artifice dans les grandes villes et il y a souvent des bals sur la place dans les villages.

(3) Les fêtes régionales

Chaque région de la France a ses propres fêtes. Souvent ce sont des fêtes religieuses, par exemple le pardon breton qui a lieu dans beaucoup de villes et de villages en Bretagne.

En Camargue il y a la fête des Gitans et dans le sud-ouest il y a des fêtes accompagnées de courses de taureaux.

New words

plusieurs several
le Noël Christmas
la veille eve
la messe mass
le réveillon midnight meal
la cheminée fireplace
le roi king
la galette a kind of cake
lequel which
cacher to hide
la fève bean
celui the one
le morceau piece
proclamer to proclaim
au cours de during
le mardi gras Shrove Tuesday
Pâques Easter
la Pentecôte Whitsuntide
par exemple for example
la plupart the majority
tandis que while
les étrennes (*f*) New Year's gift
le titre title
le muguet lily of the valley
le porte-bonheur good luck charm
le commencement beginning
les feux d'artifice fireworks
le bal dance
propre own
les Gitans gypsies (of Spanish origin)
le sud-ouest south-west
la course race
le taureau bull

'Bonne Année'

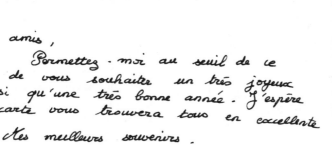

Chers amis,

Permettez-moi au seuil de ce nouvel an de vous souhaiter un très joyeux Noël ainsi qu'une très bonne année. J'espère que cette carte vous trouvera tous en excellente forme.

Mes meilleurs souvenirs.

Carole.

Unit 7 continued

New words

le seuil   threshold
souhaiter   to wish
joyeux   happy
ainsi que   as well as

Further vocabulary

Joyeux Noël   Happy Christmas
Meilleurs voeux   Best wishes
Bon anniversaire   Happy birthday
Félicitations   Congratulations

Un faire-part de mariage

Adresse du jour:
Hôtel-Restaurant "A l'Etoile"
67120 Ergersheim

Yvonne Dobert
& Patrice Marsallon

ont le plaisir de vous annoncer leur mariage.

La bénédiction nuptiale leur sera donnée le samedi 9 mars 1985 à 16 h 45.
en l'église paroissiale St-Georges de Molsheim.

Maison Forestière "Hirschbaechel" 67190 Urmatt

1, rue des Eglantiers 67120 - Molsheim

New words

la bénédiction   blessing
nuptial(e)   wedding
paroissial(e)   parish

Here is an acknowledgement to the wedding announcement below . . .

Chère Yvonne,

J'ai été très heureuse de recevoir votre faire-part. Je vous adresse toutes mes félicitations et je vous souhaite tout le bonheur possible. J'espère que vous m'enverrez une photo de votre mariage.

Mes parents se joignent à moi pour vous adresser tous nos voeux de bonheur.

New words

le bonheur   happiness
se joignent à   join (present tense of 'se joindre', see verb section at end of book)

Activités

1   Learn all the new words

2   Answer the following questions in English.

(a) Where are Laurent and Sylvie going to live?
(b) Where do marriages take place in France?
(c) How many guests will there be at Laurent and Sylvie's wedding?
(d) Where will everyone gather first?
(e) What will the mayor wear?
(f) Where will they go next?
(g) Explain what the 'repas des noces' is.
(h) What happens after this?
(i) What do Madame Gavarin and Céline wish to buy?
(j) What does Monsieur Gavarin want to do?

3 *Répondez en français*

(a) As-tu assisté* à un mariage?

(b) Tu aimes assister aux mariages?

(c) As-tu un frère marié?

(d) As-tu une soeur mariée?

(e) As-tu un cousin marié?

(f) C'est le maire qui marie les couples en Grande Bretagne?

(g) Est ce qu'on offre aux invités un déjeuner ou un dîner aux mariages en Grande-Bretagne?

(h) Qu'est-ce qu'on boit généralement au repas des noces?

(i) Tu aimes le champagne?

(j) Tu bois souvent du champagne?

* **assister à** to attend/be present at

4 Complete the following sentences with the correct part of the correct tense of 'boire'.

The imperfect and future tenses are formed in the normal way. (Check Units 1 and 4 if necessary.)

(a) Perfect tense: Je ... du champagne.

(b) Perfect tense: Ils ... du vin.

(c) Imperfect tense: Elle ... du café.

(d) Future tense: Nous ... du thé.*

(e) Present tense: Vous ... du whisky?

(f) Present tense: Il ... de l'eau minérale.

(g) Future tense: Je ... du vin quand j'aurai dix-sept ans.

(h) Imperfect tense: Tu ... un citron pressé?

(i) Imperfect tense: Ils ... du chocolat.

(j) Perfect tense: Vous ... trop de vin.

   * **le thé** tea

5 Now say what the completed sentences in Activité 4 mean in English.

6 Here is a wedding announcement from a newspaper.

> **M et Mme Jacques Didier**
> **et M et Mme Jean-Pierre Lasnet**
> **sont heureux de faire part du mariage de leurs enfants**
> **Xavier et Paulette**
> **La cérémonie aura lieu à Rouen**
> **le 23 juillet.**

(a) Who are getting married?

(b) Where?

(c) When?

7 Complete the following sentences with the correct relative pronoun 'ce qui', 'ce que' ('ce qu' before a vowel) or 'ce dont'.

(a) Je vais expliquer à ma mère ... j'ai besoin.

(b) J'ai dépensé trop d'argent – ... arrive toujours.

(c) Je veux savoir ... il a dit.

(d) Savez-vous ... je veux faire?

(e) Vous avez entendu ... est arrivé?

8 Learn all the new words in 'Les fêtes en France' carefully.

9 Answer the following questions in English.

(a) Do French people celebrate Christmas?

(b) What do a lot of French people do on Christmas Eve?

(c) What happens afterwards?

(d) What do French children place near the fireplace?

(e) What is 'le jour de l'an' called in English?

(f) What do French people do on this day?

(g) What happens to the person who finds the bean in a cake on the 6th of January?

(h) Why is lily of the valley given on the first of May?

(i) On what day is the French National festival celebrated?

(j) Where are bull-races to be found in France?

10 *Répondez en français.*

(a) Où va-t-on la veille de Noël en France?

(b) Que fait-on après?

(c) Qui apportent les cadeaux de Noël pour les enfants en France?

(d) A quel moment de l'année célèbre-t-on la fête des Rois?

(e) Qu'est-ce qu'on mange ce jour-là?

(f) Qu'est-ce qu'on y met?

(g) Le mardi gras, c'est une fête civile?

(h) La fête du Muguet, c'est une fête religieuse?

(i) La révolution française a commencé en quelle année?

(j) Que fait-on dans les villages ce jour-là?

11 *Répondez en français.*

(a) Que fais-tu la veille du Noël?

(b) Tu mets tes souliers près de la cheminée?

(c) Tu fêtes le jour de l'an chez toi?

(d) Tu envoies des cartes de nouvel an?

(e) Tu reçois des cartes de nouvel an?

(f) Que fais-tu généralement à Pâques?

(g) Que fais-tu à la Pentecôte?

(h) Le cinq novembre, c'est la fête de qui en Angleterre?

(i) Tu la célèbres avec des feux d'artifice?

(j) Quelle est ta fête préférée?

12 Ask your penfriend the following questions in French.

(a) What do you do on New Year's Eve?

(b) Do you send Christmas cards?

(c) Do you receive Christmas cards?

(d) Do you like weddings?

(e) Which is your favourite festival?

13 Learn all the new words.

14 Write a New Year's card to your French penfriend. Use Carole's card on page 47 as a guide, but write it in the 'tu' form.

(a) Write the singular form (feminine or masculine) of 'Dear . .' and include the name.

(b) Wish him/her a Happy Christmas and a Happy New Year.

(c) Say that you hope that he/she is well.

(d) End with the French for 'Best wishes'.

Activités continued

15 What would you say in French to wish the following . . .

(a) Happy birthday!
(b) Happy New Year!
(c) Happy Christmas!
(d) Congratulations!
(e) Best wishes!

16 You have received the following wedding announcement.

Monsieur Gérard Clocher
Mademoiselle Anne-Marie Le Tallec
sont heureux de vous informer que leur
mariage a été célébré le 8 Juillet 1985 à
Morlaix.

111, Avenue d'Estournelles de Constant
72200 La Flèche

Write an acknowledgement to Anne-Marie.

(a) Say that you were very happy to receive her announcement.
(b) Offer her congratulations and wish her every happiness.
(c) Say that you hope that she will send you a photo.
(d) Say that your parents send their best wishes too.

17 You have now received a photo of Anne-Marie's wedding. Write a letter to her thanking her for the photo. Say that her dress and flowers are very pretty. Say that the children are delightful (**charmants**). Ask if they are her nephew and niece. Say that you are looking forward to seeing them in the summer. Offer them best wishes.

Unit 8

Les Boums/Parties

This unit covers:
(1) reading comprehension;
(2) giving/accepting invitations
(3) letter writing;
(4) **grammar:** the conditional tense; the imperfect tense with 'si'.

The 'conditional' tense

The conditional tense expresses the idea 'would', 'could' or 'should'. You have already seen and used it in **je voudrais** (I would like) . . .

e.g.   **Je voudrais toucher** un chèque de voyage.
       I would like to change a traveller's cheque.

This tense is formed by adding the following endings . . .

je	– **ais**
tu	– **ais**
il	– **ait**
elle	– **ait**
nous	– **ions**
vous	– **iez**
ils	– **aient**
elles	– **aient**

to the *future* stem.

Although the endings of the conditional tense are the same as the imperfect tense, you will be able to tell the difference between these two tenses by the beginning.

e.g.   **vouloir**
       Imperfect tense: je voulais
       Future tense: je voudrai
       Conditional tense: **je voudrais**

Here is the conditional tense of 'vouloir' in full:

je voudrais   I would like, etc.
tu voudrais
il voudrait
elle voudrait
nous voudrions
vous voudriez
ils voudraient
elles voudraient

Further examples:

avoir	**j'aurais**	I would have
être	**je serais**	I would be
aller	**j'irais**	I would go
dire	**je dirais**	I would say
envoyer	**j'enverrais**	I would send
faire	**je ferais**	I would do/make
pouvoir	**je pourrais**	I would be able
savoir	**je saurais**	I would know
venir	**je viendrais**	I would come
voir	**je verrais**	I would see

N.B.   Any verb which is *irregular* in the 'future' tense will be *irregular* in the 'conditional' tense.

Examples of sentences using the conditional tense are:
J'irais avec toi. (I would go with you.)
Nous ferions une promenade. (We would go for a walk.)
Il ne travaillerait pas. (He would not work.)

The imperfect tense with 'si'

You will frequently hear the conditional tense used in the second part of a sentence after a 'si' clause (which includes the imperfect tense).

e.g.   S'il **était** riche, il ne **travaillerait** pas.

       Si + imperfect . . . conditional . . .

       If he **were** rich, he **would not** work.

       Si tu **venais** dimanche, nous **ferions** une promenade.

       Si + imperfect . . . conditional . . .

       If you **came** on Sunday, we **would go** for a walk.

       Si tu **allais** à Paris, j'**irais** avec toi.

       Si + imperfect . . . conditional . . .

       If you **went** to Paris, I **would go** with you.

Une boum chez Céline

Samedi soir Céline a organisé une boum chez elle. Ses parents sont sortis voir leurs cousins Latille à Rémuzat. Marc les a accompagnés. D'habitude Monsieur et Madame Gavarin sont chez eux le samedi soir, mais c'était l'anniversaire de Madame Latille et les quatre adultes allaient fêter son anniversaire au restaurant Baudoin à Rémuzat. Marc allait rester avec ses petits cousins et leurs grand-parents.

Avant de partir pour Rémuzat, Monsieur et Madame Gavarin ont aidé Celine à enlever des meubles du salon. Ils lui ont dit qu'elle devrait tout remettre après la boum avec l'aide de ses copains. Céline a invité une vingtaine d'amis à sa boum. Monsieur Gavarin pensait que ça serait trop dans leur petit salon mais après bien des discussions entre Céline et ses parents, Monsieur Gavarin a cédé. Céline a téléphone à ses amis pour les inviter. D'abord elle a téléphoné à Françoise . . .

Céline: Allô. Françoise? Ici Céline . . . Tu veux venir à une boum chez moi, samedi?
Françoise: Mais oui, bein sûr. Tes parents sont d'accord?
Céline: Oui, ils m'ont donné la permission d'inviter une vingtaine d'amis.

Unit 8 continued

Françoise: Alors je pourrai amener Eric avec moi?
Céline: Mais oui. Demande-lui aussi d'inviter Gérard.
Françoise: D'accord. Nous viendrons à quelle heure?
Céline: Vers huit heures et apporte des disques, s'il te plaît. Je n'en ai pas beaucoup, tu sais. Dis à Eric et à Gérard d'en apporter aussi.
Françoise: D'accord. Merci pour l'invitation. A samedi soir alors.
Céline: A samedi. Au revoir.

Monsieur et Madame Gavarin savaient qu'il y aurait beaucoup de bruit samedi soir mais que cela ne dérangerait pas les voisins, le vieux Monsieur Boivin et sa femme car ils sont sourds. Monsieur et Madame Gavarin savaient aussi que les jeunes gens voudraient danser. Voilà pourquoi ils ont dit à Céline d'enlever des meubles. Il n'y aurait pas assez de place pour danser sinon.

New words

organiser   to organize
enlever   to remove
les meubles (*m*)   furniture
remettre   to replace
l'aide (*f*)   help
une vingtaine   about twenty
céder   to give in
bien sûr   of course
amener   to bring (people)
apporter   to bring (things)
déranger   to disturb
sourd   deaf
sinon   if not

Les invitations à la boum

Céline wrote a note to one of her friends to invite her
to the party as she is not on the phone. Here is the
note.

> Ma chère Marie-Christine,
> Je t'écris pour t'inviter à une boum
> chez moi samedi prochain. Nous serons une vingtaine.
> Tu peux inviter Alain si tu veux. Françoise va
> amener Eric et Gérard. Tu connaîtras tout le monde,
> j'en suis sûre. J'espère que tu viendras. Viens vers
> huit heures.
> A Samedi,
> Céline.

Marie-Christine was very pleased to be invited to the
party. Here is her reply:

> Ma chère Céline,
> Merci bien de ta gentille
> invitation. J'aimerais beaucoup venir
> à ta boum samedi soir, Alain aussi.
> Il connaît déjà Eric et Gérard qu'il
> trouve sympas. Nous attendons samedi
> soir avec impatience.
> A bientôt.
> Marie-Christine.

Unit 8 continued

Unfortunately another friend, Caroline, is unable to go to the party. Here is her reply:

Ma chère Céline,
Je te remercie beaucoup de ton invitation à ta boum, samedi prochain. Je regrette mais je ne pourrai pas venir car je dois accompagner mes parents chez ma grand'mère qui aura quatre-vingts ans samedi prochain. On va fêter son anniversaire à l'hôtel Matignon.
Cela m'ennuie beaucoup de refuser car je sais que les boums chez toi sont formidables. Je suis vraiment désolée. Je te souhaite une bonne soirée,
Caroline.

Two days before the party, Céline made a list of the things that she still had to do . . .

téléphoner à Michel et à Colette
acheter de quoi manger et de quoi boire
enregistrer des chansons
ranger les disques

and on the day of the party . . .
enlever des meubles
décorer le salon
préparer la nourriture
me baigner
me laver les cheveux
m'habiller

New words

sympa(thique) nice
ennuyer to annoy
vraiment really
de quoi manger things to eat
de quoi boire drinks
enregistrer to tape (record)
la chanson song

Activités

1 Complete the following sentences with the correct part of the conditional tense.

(a) Je (vouloir) aller au cinéma.
(b) Nous (aimer) vous voir.
(c) Ils (pouvoir) venir lundi.
(d) Tu (faire) du ski.
(e) Il (être) content de les voir.
(f) Que (faire) -vous si vous étiez riche?
(g) S'ils venaient demain, tu les (voir).
(h) S'il pleuvait demain, je (rester) à la maison.
(i) Elle (venir), s'il faisait beau.
(j) Elles (aller) avec toi.

2 Now say what the completed sentences mean in English.

3 You hear the following sentences in French. Explain to your friend, who does not understand French, what you hear.

(a) A Paris nous pourrions nous amuser même s'il faisait mauvais temps.
(b) Vous vous amuseriez à la campagne.
(c) Il y aurait beaucoup à voir.
(d) Mais en ville il y aurait des distractions.
(e) J'irais tous les jours aux magasins.

4 Now tell your French friend (in French) . . .

(a) If you came on Saturday, we would go to town.
(b) If you arrived at six o'clock, I would meet you.
(c) If you were ill, I should call the doctor.
(d) We could go to the cinema.
(e) You could stay at my house.

5 Your French friend is coming to stay and you want to tell him/her what you could do,

    e.g. play tennis:
        Nous pourrions jouer au tennis.
        Tell him/her in French that you could . . .

(a) Go to the swimming-pool
(b) Go shopping in town
(c) Go to the beach
(d) Go riding
(e) Play badminton
    Ask him/her if he/she would like . . .
    e.g. to go to the cinema.
    Tu voudrais aller au cinéma?
(f) Go water-skiing
(g) Go sailing
(h) Go wind-surfing
(i) Go to the disco (la disco)
(j) Go to a party

6 *Répondez en français.*

(a) Que ferais-tu si tu étais riche?
(b) Où irais-tu si tu étais malade?
(c) Si tu rentrais à minuit, que diraient tes parents?
(d) Si tu avais mille francs, qu'est-ce que tu achèterais?
(e) Si tu trouvais cent francs dans la rue, que ferais-tu?

7 Learn all the new words.

8 Answer the following questions by choosing which of the given answers is the most appropriate.

(a) When did Céline hold a party?
   (i) On Saturday afternoon
   (ii) On Sunday afternoon
   (iii) On Saturday evening
   (iv) On Sunday evening

(b) What did Monsieur and Madame Gavarin do?
   (i) Go to town
   (ii) Go to the pub
   (iii) Go to visit their friends
   (iv) Go to their relatives

(c) What did Marc do?
   (i) Went to his cousins'
   (ii) Went to his friend's
   (iii) Went out with friends
   (iv) Stayed at home

(d) What do Monsieur and Madame Gavarin normally do on Saturday evenings?
   (i) Go out with friends
   (ii) Go to a friend's house
   (iii) Go to visit Monsieur and Madame Latille
   (iv) Stay at home

(e) What are the Latilles celebrating?
   (i) Monsieur Latille's birthday
   (ii) Madame Latille's birthday
   (iii) The grandfather's birthday
   (iv) Their son's birthday

(f) What do Monsieur and Madame Gavarin do before leaving the house?
   (i) Help move the furniture
   (ii) Help prepare the food
   (iii) Help clean the lounge
   (iv) Cover the furniture

(g) What must Céline do after the party?
   (i) Put out the lights
   (ii) Put away the remains of the food and drink
   (iii) Wash up
   (iv) Put the furniture back

(h) Who is going to help her?
   (i) Marc
   (ii) Her friends
   (iii) Her parents
   (iv) No one

Activités *continued*

(i) What was Monsieur Gavarin's attitude to the party?
   - **(i)** He thought it was a good idea.
   - **(ii)** He agreed readily.
   - **(iii)** He was concerned about numbers.
   - **(iv)** He was concerned about the mess they might make.

(j) How will the neighbours react to the party?
   - **(i)** They will complain.
   - **(ii)** They won't say anything.
   - **(iii)** They will call the police.
   - **(iv)** They are coming to the party.

9 Write a note to your French friend inviting him/her to a party at your house next Thursday. Say that there will be about twenty people there. Say that he/she can invite a friend. Say that the party will begin at seven o'clock and that you hope that he/she will be able to come.

10 Write a note to your French friend accepting an invitation to a party. Say that you would like to come to the party on Friday evening and that you are looking forward to it.

11 Write a note to your French friend thanking him/her for the invitation to a party next Monday. Say that you are sorry but that you will not be able to come because you will be in London on holiday with your parents. Say that it annoys you to refuse but wish them an enjoyable party (Bonne soirée).

12 Using Céline's list of what she has to do before the party, tell your friends in French what she would have to do.
   e.g. Deux jours avant la boum elle devrait téléphoner à Michel et à Colette. Elle devrait . . .
   Samedi elle devrait enlever des meubles du salon. Elle devrait . . .

13 Imagine that you are giving a party. Using Céline's list of things to do, say what you have already done and what you still have to do.
   e.g. J'ai déjà téléphoné à Michel. Maintenant je dois téléphoner à Colette.
   Now write five sentences of your own.

14 **Verb revision**
   Rewrite the following, changing the verb to the new tense.

   Il y aura (conditional) une boum chez Marie-France. Elle veut (imperfect) inviter quinze filles et quinze garçons mais ses parents disent (perfect) que c'est (conditional) trop. Thérèse ne peut pas (imperfect) venir car elle doit (conditional) accompagner ses parents à Paris. Elle dit (perfect) que c'est (imperfect) casse-pieds. Elle sait (imperfect) que tous ses amis seront (conditional) là. Si elle rentre (imperfect) tôt* de Paris, elle pourra (conditional) peut-être venir à la boum vers dix heures du soir. Mais ses parents ne sont pas (imperfect) d'accord.

   *tôt early

Unit 9

La France et ses Régions/ France and its regions

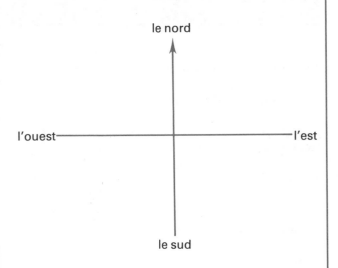

This unit covers:
(1) reading comprehension;
(2) simple map-reading;
(3) seeking information about distances;
(4) expressing opinions;
(5) **grammar:** comparative and superlative of adverbs; revision of comparative and superlative of adjectives; expressing distance.

La situation géographique de la France

La France est un des plus beaux pays du monde. Elle a des frontières avec six pays européens – la Belgique, l'Allemagne, le Luxembourg, la Suisse, l'Italie et l'Espagne. Au nord, de l'autre côté de la Manche, se trouve la Grande-Bretagne. A l'ouest il y a l'océan Atlantique et au sud, il y a la mer Méditerranée.

Pour les touristes la France offre des paysages variés – on y trouve montagnes, lacs, plaines, vallées, villes. Le climat varie selon les régions. Il est doux près de la côte méditerranéenne mais dans le nord le climat resemble plutôt à celui du sud de l'Angleterre.

Les Alpes forment une barrière à l'est entre la France et la Suisse et l'Italie. Dans le sud, les Pyrénées se dressent entre la France et l'Espagne.

Unit 9 continued

New words

la frontière frontier/boundary
le nord north
la Manche English Channel
l'ouest west
le sud south
la mer Méditerranée the Mediterranean sea
le paysage landscape/scenery
la montagne mountain
le lac lake
la plaine plain
le climat climate
varier to vary
selon according to
doux gentle/mild (*fem* **douce**)
la côte coast
ressembler à to resemble
plutôt rather
former to form
se dresser to rise up

MICHELIN **guides verts**

la France en 19 guides

New words

apprendre to learn
le Midi the south of France
la Bretagne Brittany

Une famille anglaise en France

Au mois d'août une famille anglaise est allée en France pour la première fois. Ils sont déjà allés en Suisse et en Italie en avion mais cette fois ils allaient à l'étranger en voiture. Ils voulaient voir les beaux paysages dont on a parlé chez eux. Ils ont trouvé la Suisse plus belle que l'Italie mais aussi beaucoup plus chère.

Leur fils Matthew a toujours voulu aller en France car il apprend le français à l'école et voudrait devenir professeur de français. Son père est médecin dans un grand hôpital à Londres. On dit que c'est le plus grand hôpital du monde.

Matthew voulait voyager par le train – ce qui va plus vite que la voiture – mais sa mère voulait voyager plus lentement, le plus lentement possible. Elle préfère la voiture car on peut s'arrêter quand on veut, surtout pour voir la jolie campagne.

La famille a acheté une grande carte de la France et des Guides Michelin mais on n'a pas décidé où aller. Le Docteur Brown voulait aller dans le Midi. Madame Brown préférait la Bretagne. Et Matthew . . . ? Il voulait aller partout!

Ils ont décidé enfin de commencer par le nord – naturellement – car ils ont pris le ferry de Southampton au Havre. Ils ont voyagé lentement car il y avait beaucoup à voir – de grandes villes, de jolis villages, et la campagne – la plus belle campagne du monde. Avec l'aide du Guide Michelin ils ont trouvé de bons hôtels (dans le Michelin Rouge) et des choses intéressantes à voir (dans les Guides Verts – il y a dix-neuf Guides Verts pour les différentes régions de la France).

Map symbols

Opposite is a list of symbols you might see on a French map. Many of them are similar to the symbols used on British maps. Look at them carefully to see if you can spot any differences.

Here are the meanings of some of the French words . . .

le schéma sketch-plan
le repère (reference) mark
rue de traversée through route
large wide
étroit(e) narrow
à sens unique one-way
interdit(e) forbidden
sous voûte under an arch
le lieu place
le stationnement parking
le parcours route
une autoroute motorway
raccordement connecting
le bac ferry
pont à charge limitée load limit on bridge
au-dessus above
au-dessous below

passage à niveau level crossing		**privé** private	
la voie ferrée railway-track		**le phare** lighthouse/beacon	
zone à stationnement réglementé controlled parking area		**le calvaire** (calvary) cross	
disque obligatoire parking discs compulsory		**le marché couvert** covered market	
la caserne barracks		**une usine** factory	
		Préfecture (County) Headquarters	

LÉGENDE

Curiosités

★★★ **Vaut le voyage**
★★ **Mérite un détour**
★ **Intéressant**

Itinéraire décrit, point de départ de la visite
sur la route   en ville

Château - Ruines
Calvaire
Panorama - Vue
Phare - Moulin
Barrage - Usine
Fort - Carrière
Curiosités diverses

Édifice religieux
Bâtiment (avec entrée principale)
Remparts - Tour
Porte de ville
Fontaine
Statue - Petit bâtiment
Jardin, parc, bois
B Lettre identifiant une curiosité

Autres symboles

Autoroute (ou assimilée)
Échangeur : complet, partiel, numéro
Grand axe de circulation
Voie à chaussées séparées
Voie en escalier - Sentier
Voie piétonne - impraticable
1429 Col - Altitude
Gare - Gare routière
Transport maritime :
Voitures et passagers
Passagers seulement
Aéroport
③ Numéro de sortie de ville, identique sur les plans et les cartes MICHELIN

Bâtiment public
Hôpital
Marché couvert
Gendarmerie - Caserne
Cimetière
Hippodrome - Golf
Piscine de plein air, couverte
Patinoire - Table d'orientation
Port de plaisance
Tour, pylône de télécommunications
Stade - Château d'eau
Bac - Pont mobile
Bureau principal de poste restante
Information touristique
P Parc de stationnement

Dans les guides MICHELIN, sur les plans de villes et les cartes, le Nord est toujours en haut. Les voies commerçantes sont imprimées en couleur dans les listes de rues.

Abréviations

A	Chambre d'Agriculture	J	Palais de Justice	POL.	Police
C	Chambre de Commerce	M	Musée	T	Théâtre
H	Hôtel de ville	P	Préfecture, Sous-préfecture	U	Université

ⅽⅴ Sigle concernant les conditions de visite : voir nos explications p. 4 et p. 225.

Dans ce guide

les plans de ville indiquent essentiellement les rues principales et les accès aux curiosités,
les schémas mettent en évidence les grandes routes et l'itinéraire de visite.

Unit 9 continued

Activités

Comparatives and superlatives

Adjectives

In Volume 2 you learnt how to form the comparative and superlative of adjectives, by adding **plus** and **le/la//les** plus to the adjectives.

e.g. **grand** big
plus grand bigger
le plus grand
la plus grande } the biggest
les plus grand(e)s

In the passage earlier in this Unit you saw . . .
Ils ont trouvé la Suisse **plus belle que** l'Italie
. . . more beautiful than . . .

and

C'est **le plus grand** hôpital du monde.
. . . the biggest hospital . . .

Adverbs

The comparative and superlative of adverbs are formed in a similar way with **plus** and **le plus**. But unlike the superlative of adjectives, the superlative of adverbs is never feminine or plural. It always has **le**.

e.g. *Superlative*: Sa mère voulait voyager **le plus lentement** possible.
. . . the slowest . . .

Comparative: Elle voulait voyager **plus lentement**,
. . . more slowly.

Further examples

Allez **vite**! Go quickly!
Allez **plus vite**! Go quicker!
Nous allons **le plus vite**. We go the quickest.

N.B. the *comparative* of **bien** is **mieux**
the *superlative* of **bien** is **le mieux**

e.g. **Elle travaille bien.** She works well.
Elle travaille mieux. She works better.
Elle travaille le mieux. She works the best.

Aussi . . . que/moins . . . que

These may be used with adverbs as well as with adjectives.

e.g. Tu joues **aussi** bien **que** Françoise.
You play as well as Françoise.

Il vient **moins** souvent que **toi**.
He comes less often than you.

N.B. **si . . . que** is used after a negative.
Je **ne** peux **pas** courir **si** vite **que** toi.
I cannot run as quickly as you.

If you need to revise the comparative and superlative of adjectives, check Volume 2 Unit 15.

---

1 Learn all the new words.

2 *Répondez en français.*
(a) Quel est un des plus beaux pays du monde?
(b) Es-tu déjà allé(e) en France?
(c) Où est-tu allé(e)?
(d) Tu aimes la France?
(e) Nomme* une ville qui se trouve dans le nord de la France.
(f) Nomme une ville qui se trouve à l'est de la France.
(g) Comment s'appellent les montagnes qui se trouvent entre la France et l'Espagne?
(h) Comment s'appellent les montagnes qui se trouvent entre la France et l'Italie?
(i) Comment s'appellent les montagnes qui se trouvent entre la France et la Suisse?
(j) As-tu fait du ski en France?

*nommer to name

3 *Répondez en français.*
(a) Quel est le port le plus proche de l'Angleterre?
(b) Comment s'appelle la mer entre l'Angleterre et la France.
(c) Laquelle* est la plus grande, la France ou l'Angleterre?
(d) Laquelle est la plus grande, la France ou la Suisse?
(e) Comment s'appelle l'île française qui se trouve dans la mer méditerranée?
(f) Quel est le fleuve* le plus long de la France?
(g) Quelle est la capitale de la France?
(h) Quelle est la plus belle région de la France?
(i) Quelle région a le meilleur climat selon toi?
(j) Tu préfères le nord ou le sud de la France?

*laquelle which
le fleuve river

4 France is often referred to as 'l'Hexagone'. Why do you think this is?

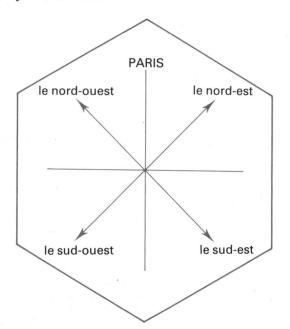

(a) Nomme une ville située dans le nord-est de la France.

(b) Nomme une ville située dans le sud-ouest de la France.

(c) Nomme une ville située au centre de la France.

(d) Nomme une ville située dans le sud-est de la France.

(e) Nomme une ville située dans le nord-ouest de la France.

(f) Nomme une région dans le nord-ouest de la France.

(g) Nomme une région dans le sud-ouest de la France.

(h) Nomme une région dans le nord-est de la France.

(i) Nomme une région dans le sud-est de la France.

(j) Nomme une région au centre de la France.

5 *Répondez en français.*

(a) Quand la famille anglaise est-elle allée en France?

(b) C'était leur deuxième visite?

(c) Où sont-ils allés déjà?

(d) Qu'est-ce qu'ils ont pensé de la Suisse?

(e) Comment ont-ils trouvé l'Italie?

(f) Pourquoi Matthew a-t-il toujours voulu aller en France?

(g) Qu'est-qu'il espère devenir?

(h) Où son père travaille-t-il?

(i) Comment Matthew voulait-il voyager?

(j) Pourquoi?

(k) Et sa mère? Comment voulait-elle voyager?

(l) Pourquoi préfère-t-elle la voiture?

(m) Qu'est-ce que la famille a acheté?

(n) Quelle région préférait le Docteur Brown?

(o) Quelle région préférait sa femme?

(p) Et toi? Quelle région préfères-tu?

(q) Où la famille anglaise a-t-elle pris le bateau?

(r) Où est-elle arrivée en France?

(s) Comment ont-ils trouvé de bons hôtels?

(t) Comment ont-ils trouvé des choses intéressantes à voir?

6 Regardez bien le schéma de Valréas, puis répondez aux questions suivantes.

(a) Y a-t-il une piscine au centre-ville?

(b) Dans quelle rue se trouve les P et T?

(c) Combien d'églises sont marquées sur le schéma?

(d) L'Hôtel de Ville se trouve hors de (outside) la ville?

(e) Il y a un hôpital à Valréas?

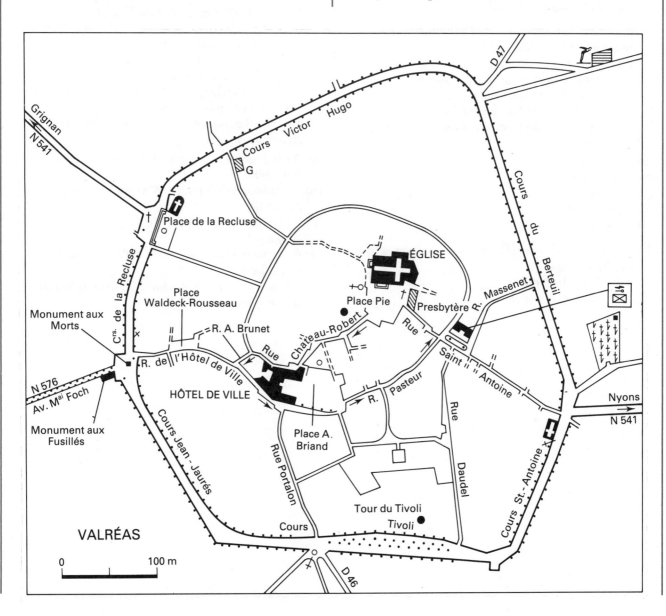

VALRÉAS

Activités *continued*

7 Change the adverb (underlined) in the following sentences to the comparative in the second part.

e.g. On peut voyager <u>vite</u> en voiture, mais on peur voyager . . . en avion.

becomes . . .

On peut voyager vite en voiture, mais on peut voyager <u>plus vite</u> en avion.

(a) On arrivera <u>vite</u> en scooter, mais on arrivera . . . en train.

(b) Je préfère voyager <u>lentement</u>, mais ma mère préfère voyager . . .

(c) On peut s'amuser <u>bien</u> à la maison, mais on peut s'amuser . . . au bord de la mer.

(d) Le professeur a crié <u>fort</u>* mais le proviseur a crié . . .

(e) Je l'ai fait <u>facilement</u>, mais Michel l'a fait . . .

*__fort__ loudly

8 Now say what the completed sentences in Activité 7 mean in English.

9 Make comparisons between Pierre and Michel using the information given.

e.g. courir vite

Pierre court aussi vite que Michel

or Michel court plus vite que Pierre

or Pierre court plus vite que Michel

or other possibilities using **moins** or negative + **si . . . que**

(a) crier fort

(b) travailler bien

(c) jouer bien

(d) marcher vite

(e) parler lentement

10 Change the adverb in the following sentences to the superlative.

e.g. Elle joue bien.

Ell joue <u>le mieux</u>.

(a) Il court vite.

(b) Vous jouez bien

(c) Elle chante bien

(d) Elles crient fort.

(e) Tu marches lentement.

11 Here is a chart showing the distance in kilometres for various towns between Lyon and Marseille.

LYON																	
19	Chasse (Nord)
30	8	Vienne
54	32	24	Chanas
85	63	55	31	Tain-l'Hermitage
96	74	66	42	11	Valence (Nord)
104	82	74	50	19	8	Valence (Sud)
123	101	93	69	38	27	17	Loriol
132	110	102	78	47	36	28	9	Montélimar (Nord)
154	132	124	100	69	58	50	31	22	Montélimar (Sud)
176	154	146	122	91	80	72	53	44	22	Bollène
197	175	167	143	112	101	93	74	65	43	21	Orange
218	196	188	164	133	122	114	95	86	64	42	21	Avignon (Nord)
228	206	198	174	143	132	124	105	96	74	52	31	10	Avignon (Sud)
241	219	211	187	156	145	137	118	109	87	65	44	23	13	Cavaillon
251	229	221	197	166	155	147	128	119	97	75	54	33	23	10	Sénas
265	243	235	211	180	169	161	142	133	111	89	68	47	37	24	14	Salon (Sud)
285	263	255	231	200	189	181	162	153	131	109	88	67	57	44	34	20	Berre
293	271	263	239	208	197	189	170	161	139	117	96	75	65	52	42	28	8	Marignane
316	294	286	262	231	220	212	193	184	162	140	119	98	88	75	65	51	31	23	MARSEILLE

Give the following answers in French.

e.g. A combien de kilomètres de Lyon se trouve Valence (Sud)?

Valence (Sud) se trouve à cent quatre kilomètres de Lyon.

Read the map horizontally and vertically to find the correct number of kilometres.

Express the number of kilometres in words as shown above.

(a) A combien de kilomètres de Loriol se trouve Marseille?

(b) A combien de kilomètres d'Avignon se trouve Marseille?

(c) A combien de kilomètres de Vienne se trouve Avignon?

(d) A combien de kilomètres de Bollène se trouve Cavaillon?

(e) A combien de kilomètres de Montélimar (Sud) se trouve Sénas?

Unit 10

Les auberges de jeunesse/ Youth Hostels

This unit covers:
(1) reading comprehension;
(2) letter-writing to the French Youth Hostel Association;
(3) booking in at a Youth Hostel;
(4) extracting information from a brochure;
(5) **grammar:** 'Lequel', 'Laquelle', 'Lesquels' and 'Lesquelles' 'celui', 'celle', 'ceux' and 'celles'.

GUIDE OFFICIEL DES AUBERGES DE JEUNESSE YOUTH HOSTELS JUGENDHERBERGEN FRANCE 85/86

FUAJ

FEDERATION UNIE DES AUBERGES DE JEUNESSE
6, rue Mesnil 75116 Paris
Tél. (1) 505.13.14

A l'auberge de jeunesse

Pendant les grandes vacances Marc est parti en vacances avec son copain Frédéric et les parents de Frédéric. Ils sont allés faire un tour de la côte atlantique en voiture. Ils se sont arrêtés chaque nuit à une auberge de jeunesse. Ils ont porté avec eux seulement les vêtements car on peut manger à l'auberge de jeunesse et aussi louer tout ce dont on a besoin – un sac de couchage et des couvertures. Ceux qui le préfèrent peuvent apporter leur propre sac de couchage et même préparer leurs propres repas. A l'auberge de jeunesse ce sont souvent les garçons qui préparent les repas – ce qu'il ne font jamais à la maison.

On peut louer une place à l'avance à l'auberge de jeunesse mais on attend souvent de voir à quelle auberge on arrivera avant de demander une place. Voici la conversation entre l'aubergiste et le père de Frédéric.

L'aubergiste: Bonjour, monsieur.

Monsieur Droz: Bonjour, monsieur. Avez-vous des lits pour ce soir?

L'aubergiste: Oui, nous avons encore quelques lits pour ce soir. Vous êtes combien?

Monsieur Droz: Nous sommes quatre. Il y a ma femme, les deux garçons et moi. Nous voudrions louer des sacs de couchage aussi.

L'aubergiste: Bien, monsieur. Voulez-vous remplir cette fiche?

Plus tard dans le dortoir . . .

Frédéric: Voilà les deux lits libres au coin-là. Lequel veux-tu prendre?

Marc: Je prends celui-ci.

Frédéric: Alors, je prends celui-là. Tu as les couvertures?

Marc: Oui, les voilà. Prends celle-là. Moi, je prends celle-ci.

Frédéric: Merci. Oh . . . regarde par la fenêtre. Tu vois les gars là-bas?

Marc: Lesquels?

Frédéric: Ceux qui jouent au volley-ball. On y va?

Marc: Oui, mais d'abord, donne-moi mes chaussettes s'il te plaît.

Frédéric: Lesquelles?

Marc: Celles qui sont dans ton sac à dos.

New words
la couverture   blanket
ceux, celles   those (see later in this Unit)
à l'avance   in advance
l'aubergiste   Youth hostel warden
le dortoir   dormitory
lequel
laquelle } which (see later in this Unit)
lesquels
lesquelles
les gars   boys (colloquial for 'les garçons')
celui-ci
celle-ci } this one here (see later)
celui-là
celle-là } that one there (see later)

Youth hostel prices

Look carefully at the Tarif list opposite.

New words

adhésion individuelle   individual membership
hébergement   bed/accommodation
relais   hostels for one night stays
appliquer   to apply
plat unique   one course (meal)
le drap   sheet
la plupart   majority

'Lequel', 'Lesquels', 'Lesquelles' and 'Laquelle'

In the conversation between Marc and Frédéric earlier in this Unit you saw questions using . . .

Lequel?   Which one? (referring to 'le lit')
Lesquels?   Which ones? (referring to 'les gars')
Lesquelles?   Which ones? (referring to 'les chaussettes')

There is also another form . . .

Laquelle?   Which one? (this is used to refer to a feminine singular noun).

These interrogative pronouns are very easy to use. They are simply a combination of 'le', 'la', 'les' and 'quel', 'quelle', 'quels' and 'quelles' (see Volume 2 Unit 11). Their form depends on the gender and number of the noun they refer to.

e.g.   (la maison)   **Laquelle?**   (Which one?)
(le livre)   **Lequel?**   (Which one?)
(les maisons)   **Lesquelles?**   (Which ones?)
(les livres)   **Lesquels?**   (Which ones?)

'Celui', 'celle', 'ceux' and 'celles'

In the conversation between Marc and Frédéric you also saw . . .

(*m*)   **celui**   this (that) one
(*f*)   **celle**   this (that) one
(*mpl*)   **ceux**   these (those)
(*fpl*)   **celles**   these (those)

These pronouns also depend on the gender and number of the noun they refer to.
Quels garçons?
Ceux qui jouent au volley-ball.
(Those who are playing volleyball.)

Quelles chaussettes?
Celles qui sont dans ton sac à dos.
(Those which are in your rucksack.)

If you wish to stress *this* or *that*, then '-ci' or '-là' are added to the end, as seen in the conversation earlier.

e.g.   Quel lit veux-tu prendre?
Je prendrai **celui-ci**.
(I'll take this one.)

Quelle couverture veux-tu prendre?
Je prendrai **celle-là**.
(I'll take that one.)

Adhérez à la FUAJ

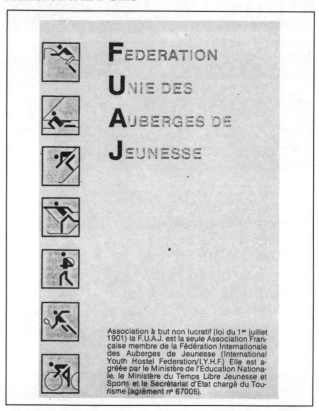

Association à but non lucratif (loi du 1er juillet 1901) la F.U.A.J. est la seule Association Française membre de la Fédération Internationale des Auberges de Jeunesse (International Youth Hostel Federation/I.Y.H.F.) Elle est agréée par le Ministère de l'Education Nationale, le Ministère du Temps Libre Jeunesse et Sports et le Secrétariat d'Etat chargé du Tourisme (agrément n° 67005).

La carte individuelle de la FUAJ est internationale. Elle est valable du 1er janvier au 31 décembre.

Cependant, cette carte délivrée chaque année dès le 1er octobre, est utilisable à compter de cette date jusqu'au 31 décembre de l'année suivante. Ainsi, un jeune qui adhère pour la première fois bénéficie d'une carte valable 15 mois au lieu de 12!

New words

adhérer   to join (become a member)
la FUAJ   (la Fédération Unie des Auberges de Jeunesse) French Youth Hostel Association.
la carte   (also) card
valable   valid
cependant   however
délivrer   to be sent
dès   from (referring to time)
utilisable   able to be used
à compter de   with effect from
suivant(e)   following
ainsi   thus
bénéficier   to benefit
au lieu de   instead of

If you would like to receive a brochure from the FUAJ, you could write a formal letter in French (see Volume 2 Unit 11) asking for a brochure about LES AUBERGES DE JEUNESSE in France. The information they send you should contain a very useful map indicating all the Youth Hostels in France, their addresses and tarifs. (You will see an extract from this information on the next page.)
The address to write to is . . .

Fédération Unie des Auberges de Jeunesse,
6 rue Mesnil,
75116 PARIS

Place	Address	Telephone	Distance from railway station	Open	No. of beds	Extra beds	Tents	Hire of sleeping bags	Handicapped people	Group reservation	Breakfast	All meals
Poitiers	17, me de la Jeunesse – B.P. 241 – 86006 Poitiers	(49) 58.03.05	Poitiers/2,8 km	1.1/31.12	160	28	120	●	●	1.1/31.12		●
La Rochelle	Centre International de Séjour–Les Minimes–17000 La Rochelle	(46 44.43.11	La Rochelle/1,8 km	3.1/23.12	210	20	20	●	●	3.1/23.12		½ pens.
Ruffec	S'adresser à l'AJ. de Angoulême	(45) 92.45.80			15 15							
St-Barthélemy-de-Bellegarde	24700 Montpon-Ménesterol	(53) 80.38.50	Montpon-Ménesterol/8 km	1.1/31.12	30					●		●
St Junien	13 rue de St-Amand 87200 St Junien	(55) 02.22.79	St Junien/1 km	1.1/31.12	50			●		1.1/31.12		
St-Nazaire	Foyer du Travailleur, 30 rue du Soleil Levant, 44600 St Nazaire	(40) 22.51.04	St Nazaire/1,2 km	1.1/31.12	16	●		●		1.1/31.12		
Saintes	6, rue Pont Amilion 17100 Saintes	(46) 92.14.82	Saintes/0,5 km	1.1/30.11	40	12	20T	●		1.1/30.11	●	●
Les Sables d'Olonne	92, rue du Sémaphore–La Chaume-85100 Les Sables d'Olonne		Les Sables/3 km	1.7/31.8	40	8	●	●				

TARIFS

ADHESION INDIVIDUELLE
Moins de 18 ans* .... 10.00 F
De 18 à 26 ans* .... 35.00 F
Plus de 26 ans* .... 55.00 F
*Age au moment de l'adhésion

*HEBERGEMENT**
Catégorie "Auberge de Jeunesse" .... 26.50 F
Catégorie "Auberge de Jeunesse simple" .... 22.50 F
Catégorie "Relais" .... 16.00 F
*Une "taxe de séjour" est parfois appliquée dans certaines localités. Elle s'ajoute au prix de l'hébergement.

REPAS
Petit déjeuner .... 8.50 F
Déjeuner ou dîner (boissons non comprises) .... 28.00 F
Plat unique (servi dans certaines A.J.) .... 18.00 F

DRAPS OU SACS DE COUCHAGE
Location dans la plupart des A.J. (de 1 à 7 nuits) ...... 9.00 F

Section of the west coast of France showing youth hostels

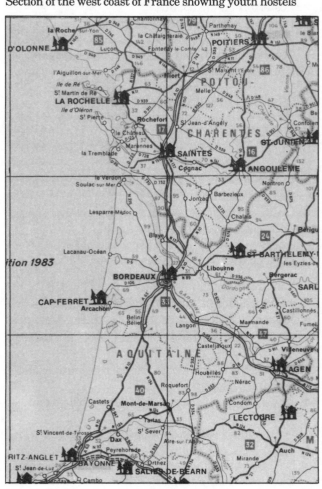

Above and left are extracts from the FUAJ brochure

Activités

1 *Répondez en français.*

(a) Marc est parti en vacances avec qui?

(b) Où sont-ils allés?

(c) Comment y sont-ils allés?

(d) Où se sont-ils arrêtés?

(e) Qu'est-ce qu'ils ont porté avec eux?

(f) Qu'est-ce qu'ils ont loué?

(g) Qu'est-ce que les garçons ne font jamais à la maison?

(h) Est-ce qu'on peut louer des places à l'avance?

(i) Est-ce qu'il y avait des places libres à cette auberge de jeunesse?

(j) Qu'est-ce que l'aubergiste a demandé à Monsieur Droz de faire?

2 *Répondez en français.*

(a) Es-tu déjà resté(e) dans une auberge de jeunesse?

(b) Tu voudrais y aller avec des copains cette année?

(c) Tes parents aiment rester dans les auberges de jeunesse?

(d) Tu as ton propre sac de couchage?

(e) Tu as un sac à dos?

3 You have arrived at a Youth Hostel in France. You have not booked in advance.

(a) Say 'hello' to the warden and ask if he has any beds tonight.

(b) Say that there are three of you (boys).

(c) Say that you would like to hire sleeping-bags.

(d) Ask where the dormitory is (please).

(e) Ask at what time dinner (**le dîner**) is.

(f) Thank the warden.

4 Answer the following questions in English about the Tarif list.

(a) How much does the individual membership cost for someone under the age of 18? Give your answer in francs. Assuming that there are 11 francs to the £, now give your answer in sterling (to the nearest £).

Activités continued

(b) If you were only staying for one night at a 'relais' how much would you have to pay? Give your answer in francs and sterling.

(c) How much would breakfast cost (in francs and sterling)?

(d) How much would dinner cost (in francs and sterling)?

(e) How much would it cost to hire a sleeping-bag (in francs and sterling)?

5 You are in a shop in France and are offered the choice of two articles. In section A, tell the shop assistant that you will have 'this one'. Remember to use the correct masculine or feminine pronoun.
e.g.   Voici deux disques. Vous prendrez lequel?
    Je prendrai celui-ci.

A (a) Voici deux robes. Vous prendrez laquelle?
(b) Voici deux sacs de couchage. Vous prendrez lequel?
(c) Voici deux couvertures. Vous prendrez laquelle?
(d) Voici deux ensembles. Vous prendrez lequel?
(e) Voici deux crayons. Vous prendrez lequel?

B Now tell the assistant that you will have 'that one'.
e.g.   Voici deux disques. Vous prendrez lequel?
    Je prendrai celui-là.
Use the same questions as in A above.

6 In reply to each of the following questions, ask (in French) 'which one(s)?' Remember to use the correct masculine or feminine, singular or plural form.
e.g.   Tu vois les enfants là-bas?
    Lesquels?

(a) Tu vois les livres là-bas?
(b) Tu vois les journaux là-bas?
(c) Tu vois les cartes là-bas?
(d) Tu vois ce monsieur là-bas?
(e) Tu vois cette maison-là?
(f) Veux-tu me passer cette couverture?
(g) Tu me passes ces chaussettes?
(h) Tu as tes disques?
(i) Vous voyez ces jeunes filles?
(j) On va prendre le car?

7 Learn the new words in the passage 'Adhérez à la FUAJ'.

8 Your English friend who does not understand French has received the information about the FUAJ. Explain what it says to him/her.

9 Look at the extract from the French Youth Hostel map. Then answer the following questions in English.

(a) Is there a youth hostel at Bordeaux?
(b) Is there a youth hostel at Poitiers?
(c) Which river flows through Bordeaux?
(d) Which is the nearest youth hostel to Cognac?

(e) What is the name of the 'département' (county) south of Bordeaux?

10 Regardez la carte, puis répondez en français.
(a) Il y a une auberge de jeunesse à Royan?
(b) Il y a une auberge de jeunesse à Angoulême?
(c) Comment s'appelle la rivière qui coule entre Libourne et Bergerac?
(d) Quelle est l'auberge de jeunesse la plus proche* de l'Ile de Ré?
(e) Comment s'appelle l'île à l'ouest de Rochefort?

*proche   near

11 You are on holiday in France and need some information. Ask the following questions in French.
(a) Is there a youth hostel at Agen?
(b) Is there a youth hostel at Bergerac?
(c) What is the name of the river at Angoulême?
(d) Which is the nearest youth hostel to Arcachon?
(e) What is the island to the west of La Rochelle called?

12 Look at the extract from the French Youth Hostel brochure. Then answer the following questions in English.
(a) What is the telephone number of the youth hostel at La Rochelle?
(b) You are going to stay at the youth hostel in Saintes and are arriving by train. How far is the hostel from the station?
(c) For how many months of the year is the youth hostel at Poitiers open?
(d) How many beds are there at the youth hostel at St Nazaire?
(e) Can physically handicapped people stay at the youth hostel at La Rochelle?

13 Regardez l'extrait, puis répondez en français.
(a) Quelle est l'adresse de l'auberge de jeunesse à St-Junien?
(b) Quel est le numéro de téléphone de l'auberge de jeunesse à Ruffec?
(c) Combien de lits y a-t-il à l'auberge de jeunesse aux Sables d'Olonne?
(d) L'auberge de jeunesse à St Barthélemy-de-Bellegarde est ouverte toute l'année?
(e) La gare de St-Junien se trouve à combien de kilomètres de l'auberge de jeunesse?

14 You are on holiday in France and need some information. Ask the following questions in French.

(a) What is the address of the youth hostel at Poitiers, please?
(b) What is the telephone number of the youth hostel at Saintes, please?
(c) How many beds are there at the youth hostel at Ruffec?
(d) Is the youth hostel at La Rochelle open all the year?
(e) How far is the station from the youth hostel at St Barthélemy-de-Bellegarde?

Unit 11

Les repas/Meals

*T*his unit covers:
(1) *reading comprehension;*
(2) *talking about food and drink;*
(3) *expressing preferences and need;*
(4) *dealing with a complicated menu;*
(5) **grammar:** *the present participle; revision of 'avoir besoin'/'devoir'/'il faut'.*

Le couvert

Other useful words

le bol bowl
la moutarde mustard
le poivre pepper
le sel salt
la soucoupe saucer
la tasse cup
le vinaigre vinegar

N.B. French people do not automatically put salt and pepper on the table at meal times. It is assumed that the cook knows how to season the dish he/she is preparing. It is considered bad manners to ask for the salt and pepper *before* you have tasted the food in front of you!

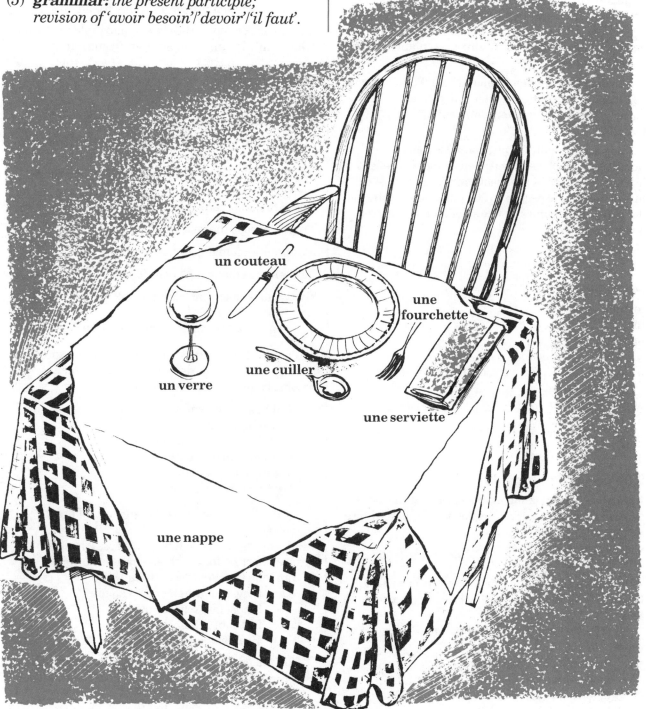

un couteau

une fourchette

un verre

une cuiller

une serviette

une nappe

Unit 11 continued

Les repas de la famille Gavarin

La famille Gavarin prend le petit déjeuner dans la cuisine vers sept heures et demie. Au petit déjeuner ils mangent du pain avec du beurre et de la confiture ou du miel. Ils boivent d'habitude du café au lait mais quelquefois Marc préfère boire du chocolat et Céline et Madame Gavarin boivent du thé.

Pour la famille le déjeuner à midi est le repas principal de la journée. Au déjeuner il y a souvent une entrée, puis de la viande, des légumes, quelquefois de la salade, puis du fromage et un dessert (un gâteau, une tarte, une crème caramel ou des fruits, par exemple). En France on mange le fromage (si on veut prendre du fromage) avant le dessert.

Monsieur Gavarin boit du vin ordinaire au déjeuner mais Madame Gavarin et les enfants boivent de l'eau minérale.

A cinq heures et demie, quand les enfants rentrent de l'école, ils prennent le goûter – un pain au chocolat, un fruit, un yaourt ou peut-être des biscuits.

Le soir, la famille Gavarin prend le souper vers huit heures. Quelques familles en France l'appellent le dîner. A souper ils prennent souvent du potage en hiver et un hors-d'oeuvre en été, puis une omelette, ou des pâtes, des légumes ou une salade, du fromage et des fruits.

New words

le miel honey
une entrée first course
ordinaire ordinary
le goûter tea (meal)
un pain au chocolat bread-roll with a piece of chocolate inside
le potage soup
les pâtes pasta

The present participle

In English, the present participle means such words as *'going'*, *'eating'*, *'working'* etc. when these words are not part of the main verb.

e.g. *Going* down the road, I saw . . .
On *arriving* home, he . . .

In French, the present participle usually ends in '-ant'. (There are some exceptions which you will learn later.)

It is formed from the stem of the 'nous' form, present tense.

e.g. (nous **all**ons) all**ant** going
(nous **finiss**ons) finiss**ant** finishing
(nous **mange**ons) mange**ant** eating
(nous **cherch**ons) cherch**ant** looking for

The following three present participles end in '-ant' but are not formed from the stem of the present tense.

être	**étant**	being
avoir	**ayant**	having
savoir	**sachant**	knowing

The present participle in French is often used with 'en'.

e.g. J'ai écouté mon transistor **en préparant** le petit déjeuner.
I listened to the radio *while preparing* breakfast.
Je me suis coupé le doigt **en ouvrant** une boîte de sardines.
I cut my finger *while opening* a tin of sardines.
J'ai réussi* **en travaillant** dur.
I succeeded *by working* hard.
En ouvrant la porte, j'ai vu mon copain.
On opening the door, I saw my friend.

As you can see, 'en' + the present participle can mean 'while', 'on' (doing), 'by' (doing), 'in' (doing) etc.

*réussir to succeed

Expressing preference and need

You have already learnt how to express preference by using the verb 'préférer', and 'aimer mieux'*.
You also know how to show preference by using 'je voudrais'.

Here are some examples . . .

Tu préfères le thé ou le café?

J'aime mieux manger au restaurant.

Je voudrais manger à la maison.

*N.B. remember that 'aimer mieux' means 'to like better/to prefer'
and that 'je voudrais' means 'I would like'.

In Volume 2 Units 10/11, you learnt how to express need by using part of 'devoir' or 'il faut' and 'avoir besoin'. Here are some examples . . .

J'ai besoin du pain.
Il faut aller à la boulangerie.
Je dois aller à la boulangerie
Tu as besoin des oranges.
Il faut acheter des oranges.
Tu dois acheter des oranges.

N.B. 'Il faut' can be used to suggest different people.
If you wish to use 'il faut' and stress who it is you are referring to, you should include an object pronoun (see Volume 2, Units 13/14).

e.g. Il **me** faut acheter des oranges.
I must buy some oranges.
Il **te** faut acheter des oranges.
You must buy some oranges.

'Il faut' without a pronoun is used to suggest that oranges have to be bought . . .
Il faut acheter des oranges
without stressing who has to do the buying.

La charcuterie

Here is an advert for a **charcuterie** (delicatessen), in Paris. The proprietor is also a **traiteur** (caterer). They offer a wide range of delicious things to eat.

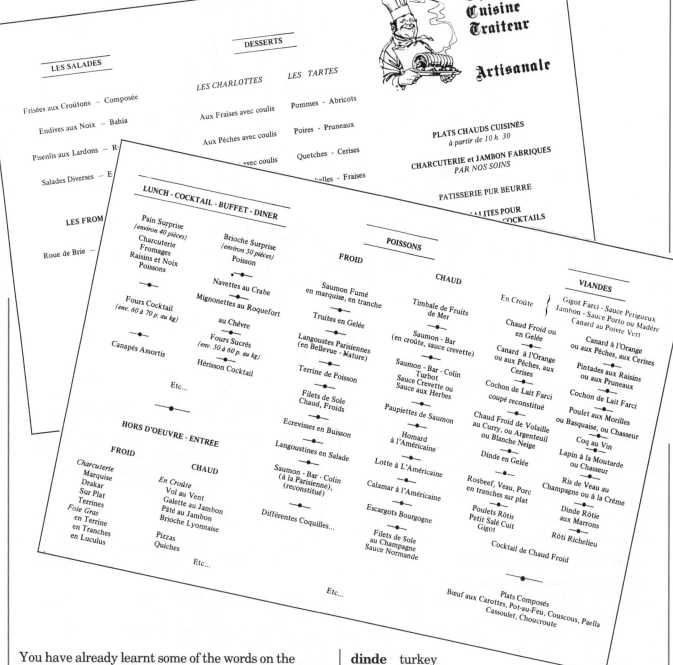

You have already learnt some of the words on the menu . . .

e.g. **poisson**, **viande**, **poulet**, etc.

Here are some more words which often appear on other menus, too . . .

foie gras   liver pâté
en croûte   in a pastry crust
saumon   salmon
truite   trout
homard }
langouste } lobster
écrevisses   crayfish
coquilles   shellfish
fruits de mer   seafood
escargots   snails
canard   duck

dinde   turkey
rosbeef }
rosbif } roastbeef
veau   veal
gigot   lamb

If you wish to find the meanings of the other words on the menu, ask if you may use a large French dictionary from the school/town library.

Ordering steak

If you order steak in a French restaurant, you may be asked if you want it . . .

saignant   rare
à point   medium
bien cuit   well done

Activités

1 Learn all the new words in 'Le couvert'.

2 Marc has been told to do the following . . .
'Mets le couvert, Marc.'

Répondez en français.

(a) Qu'est-ce que Marc a déjà mis sur la table?

(b) Qu'est-ce qu'il a oublié de mettre?

(c) A-t-il mis les serviettes?

(d) A-t-il mis les verres?

(e) Tu mets souvent le couvert pour ta famille?

(f) Qui prépare tes repas à la maison?

(g) Tu sais faire la cuisine?*

(h) Tu fais la vaisselle après les repas?

(i) Tu aimes faire la vaisselle?

(j) Tu aimes manger?

*faire la cuisine   to cook

3 Express the following in French.

(a) Tell your brother/sister to lay the table.

(b) Tell him/her that he/she has forgotten the forks.
(Remember to use 'Tu . . .')

(c) Tell him/her that he/she has forgotten the plates.

(d) Tell him/her to do the washing-up.

(e) Say that you will help.

4 Learn the new words in the passage 'Les repas de la famille Gavarin'.

5 Answer the following questions in English.

(a) At what time does the Gavarin family have breakfast?

(b) What do they usually eat for breakfast?

(c) What do they drink?

(d) Which is the Gavarin's main meal of the day?

(e) At what time do they have lunch?

(f) What do they drink at lunch-time?

(g) At what time do the children have tea?

(h) What do they have?

(i) At what time is their evening meal?

(j) What do they have as a first course in winter?

6 *Répondez en français.*

(a) Combien de repas prends-tu chaque jour?

(b) Quels sont ces repas?

(c) A quelle heure prends-tu le petit déjeuner?

(d) A quelle heure prends-tu le déjeuner?

(e) Où prends-tu le déjeuner pendant la semaine?

(f) Tu prends le goûter après l'école?

(g) Qu'est-ce que tu manges généralement le soir?

(h) A quelle heure manges-tu le soir?

(i) Que fais-tu après?

(j) Quel est ton repas favori?

7 You are speaking to a French friend about meals. What would you say in French to ask the following questions?

(a) How many meals do you have each day?

(b) Which is your favourite meal?

(c) What do you usually eat for lunch?

(d) Do you like tea (drink)?

(e) At what time do you have breakfast?

8 Use the perfect tense to say what you had to eat yesterday for your meals and at what time you ate.

   e.g.   Hier, j'ai pris le petit déjeuner à . . . .
          J'ai mangé . . . .

Useful words

du pain grillé   toast

des céréales en flocons   cereals

des oeufs brouillés   scrambled eggs

un oeuf à la coque   a boiled egg

du bacon et un oeuf sur le plat   bacon and egg

9 Give the present participle of the following verbs.
   aller   avoir   faire   travailler   pouvoir
   être   lire   écrire   savoir   arriver

10 Give the correct form of the verb (i.e. the present participle) in the following sentences.

e.g.   En (chercher) dans le placard, j'ai trouvé les assiettes.
       On looking in the cupboard, I found the plates.
       En cherchant dans le placard, j'ai trouvé les assiettes.

(a) En (entrer) dans le restaurant, nous avons vu nos amis.

(b) Le garçon nous a dit 'Bonjour messieurs/dames', en (indiquer) une table libre.

(c) Nous avons commencé le repas en (prendre) un apéritif.

(d) En (regarder) le menu, j'ai remarqué les prix élevés*.

(e) En (lire) le menu, j'ai vu mon plat favori.

(f) J'ai commencé mon repas en (choisir) des crudités.

(g) En (boire) de l'eau minérale, j'ai avalé* un morceau de verre.

(h) En (payer) l'addition mon père a remarqué une erreur.

(i) Le garcon s'est excusé en (rougir*).

(j) En (quitter) le restaurant nous avons dit 'Au revoir' à nos amis.

*__élevé__   high
__avaler__   to swallow
__rougir__   to go red/blush

11 Now say in English what the sentences in Activité 10 mean.

12 *Répondez en français.*

(a) Tu préfères le thé ou le café?

(b) Tu préfères les biscuits ou les gâteaux.

(c) Tu préfères du vin ou de l'eau minérale?

(d) Qu'est-ce que tu aimerais mieux – manger à la maison ou au restaurant?

(e) Qu'est-ce que tu aimerais mieux – un repas chaud ou un repas froid?

(f) Tu as soif?

(g) Tu as faim?

(h) Tu voudrais déjeuner en ville?

(i) Tu voudrais rester à la maison?

(j) Il te faut aller à l'alimentation?

13 How would you tell someone in French . . .

(a) I prefer coffee.

(b) I prefer biscuits.

(c) I prefer lemon squash.

(d) I'm thirsty.

(e) I'm very hungry.

(f) I would like to have lunch at home.

(g) I need some bread.

(h) I must go to the baker's.

(i) I must go to the butcher's.

(j) I prefer the supermarket.

14 Ask your friend the following questions in French.

(a) Do you prefer tea or coffee?

(b) Do you prefer bread or toast?

(c) Do you prefer cereals or a boiled egg?

(d) Do you prefer jam or honey?

(e) Do you need sugar?

(f) Do you need milk?

(g) Would you like some butter?

(h) Would you like more (**encore**)?

(i) Are you hungry?

(j) Are you thirsty?

15 Learn as many new words on the topic of food and meals as possible. You will then be able to amaze your family and friends with your ability not only to understand menus in France, but also in smart restaurants in this country!

16 Make a survey of the shelves in your local supermarket to see how many French foods there are in the shop. Look especially at the cheese section.

17 Without checking back, would you know what the following are, if you saw them on a menu?

escargots   dinde   veau   gigot
potage   saumon   fromage   canard
foie gras   poulet

18 Read the following carefully, then choose which answer you think is the correct one.

(a) On mange les hors-d'oeuvre . . .
   (i) avant le plat principal
   (ii) avec le plat principal
   (iii) après le plat principal

(b) Les crudités sont . . .
   (i) une espèce* de dessert
   (ii) une espèce de salade
   (iii) une espèce de viande

*__espèce__   kind

(c) Le veau, c'est . . .
   (i) du poisson
   (ii) de la volaille
   (iii) de la viande

(d) Pour le dessert on prend . . .
   (i) la truite
   (ii) la charlotte
   (iii) le canard

(e) Dans la salade il y a
   (i) des endives
   (ii) du chocolat
   (iii) des filets de sole

19 You are in a restaurant in France. Express the following in French.

(a) Say 'good-evening' to the waiter.

(b) Ask for a table for four.

(c) Order two soups and two hors-d'oeuvre.

(d) Order four steaks, one rare, two medium and one well-done.

(e) Ask for some mineral water.

(f) Ask for two strawberry tarts and two ice-creams.

(g) Ask for the bill.

(h) Thank the waiter and say goodbye.

Unit 12

Dans le métro/ Travelling on the underground in Paris

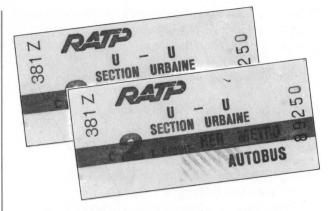

This unit covers:
(1) reading comprehension;
(2) using the underground in Paris;
(3) giving and seeking directions;
(4) letter-writing;
(5) **grammar:** 'depuis' and 'venir de'.

La famille Gavarin dans le métro

Nous sommes au mois d'avril. La famille Gavarin est à Paris depuis trois jours. Madame Gavarin et Céline courent les magasins chaque jour mais Monsieur Gavarin et Marc font des promenades à pied ou en bateau-mouche. Pour traverser la ville la famille prend le métro.

Le métro parisien est différent de celui de Londres. On paie le même prix partout et on peut prendre l'autobus avec les tickets de métro.

On peut acheter un carnet de tickets – ce qui coûte moins cher que les tickets individuels.

Quand on descend dans le métro on prend souvent un escalier roulant. Puis il faut composter son billet avant d'aller sur le quai.

Il est très facile de voyager par le métro. Chaque ligne de métro porte le nom de la direction du train. Pour trouver la bonne direction, on cherche le nom de la tête de ligne.

Si on doit changer de rames, on cherche le panneau qui indique 'Correspondances', puis on cherche encore une fois le nom de la dernière station de la ligne.

Quand la famille Gavarin est arrivée à Paris il y a trois jours, Marc a voulu sortir immédiatement pour aller faire un trajet en métro.

'Mais nous venons d'arriver,' a dit son père. 'Ta mère est fatiguée. Tu dois défaire ta valise avant de sortir.'

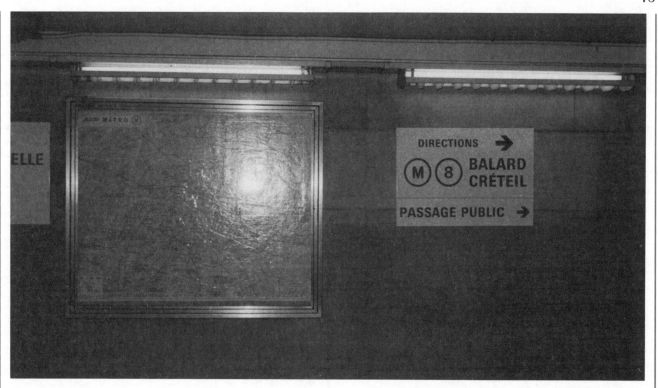

New words

depuis for (see later in this Unit)
le bateau-mouche river-boat for sight-seeing in Paris
individuel individual
composter to punch/date stamp (a ticket)
la ligne line
la bonne direction the right way
la tête de ligne terminus
la rame line/train
le panneau sign
il y a (also) ago (N.B. this is used *in front* of the expression of time)
immédiatement immediately
le trajet (short) journey
venir de to have just . . . (see later in this Unit)
défaire sa valise to unpack.

Depuis

In the passage earlier in this Unit you saw . . .
La famille Gavarin **est** à Paris **depuis** trois jours.
The Gavarin family *has been* in Paris *for* three days (and they are still in Paris).
When an action has been going on and is continuing, the present tense is used in French with 'depuis' to express 'has been . . . for . . .'
Further examples . . .
J'apprends le français **depuis** trois ans.
I have been learning French for three years.
J'habite cette maison **depuis** dix ans.
I have been living in this house for ten years.

Similarly, if you wish to express '*had been . . . for . . .*', the imperfect tense is used in French with 'depuis'.

e.g. La famille Gavarin était à Paris depuis trois jours.
The Gavarin family *had* been in Paris for three days.

J'apprenais le français depuis trois ans.
I *had* been learning French for three years.

J'habitais cette maison depuis dix ans.
I *had* been living in that house for ten years.

Venir de

In the passage earlier in this Unit, you also saw . . .
Nous **venons d'**arriver.
We *have just* arrived.

The present tense of '**venir de**' is used to express '. . . *have* just . . .'
The imperfect tense is used to express '. . . *had* just . . .'

e.g. **Elle vient de sortir**
She *has just* gone out.

Elle venait de sortir.
She *had just* gone out.

Notices in the Paris métro

Here are some notices which you might see in the underground in Paris.

LIMITE DE VALIDITÉ DES BILLETS

TÊTE DES TRAINS

ARRIÈRE DES TRAINS

PASSAGE INTERDIT

PORTILLON AUTOMATIQUE. NE PAS TENTER DE PASSER PENDANT LA FERMETURE.

IL EST FORMELLEMENT INTERDIT DE MONTER DANS UN TRAIN EN MARCHE.

COMPOSTEZ VOUS-MÊME VOTRE BILLET. CONSERVEZ-LE JUSQU'À LA SORTIE.

SORTIE

New words

la validité	validity	**la fermeture**	closing
arrière	rear	**formellement**	strictly
portillon	gate	**conserver**	to keep
tenter	to try	**la sortie**	exit

74

Activités

1 Answer the following questions by choosing which of the answers given is the most appropriate.

(a) La famille Gavarin est allée à Paris en quelle saison?
  (i) au printemps
  (ii) en été
  (iii) en automne
  (iv) en hiver

(b) Qu'est-ce que Madame Gavarin et Céline aiment faire à Paris?
  (i) se reposer
  (ii) courir
  (iii) faire des achats
  (iv) rester à l'hôtel

(c) Qu'est-ce que Monsieur Gavarin et Marc aiment faire?
  (i) regarder les bateaux
  (ii) aller à la pêche
  (iii) se reposer
  (iv) se promener

(d) On peut utiliser les billets de métro pour . . .
  (i) les voyages de SNCF
  (ii) les trajets en autobus à Paris
  (iii) les taxis
  (iv) le métro seulement

(e) Pourquoi acheter un carnet de tickets?
  (i) pour aller plus vite
  (ii) pour être individuel
  (iii) pour faire un trajet en autobus
  (iv) pour économiser* de l'argent

*économiser   to save

2 Answer the following questions in English.
(a) What must you do after buying your ticket and before going on to the platform?
(b) How are the different métro lines named in Paris?
(c) What sign should you look for when changing lines on the underground?
(d) Then what should you look for?

3 Répondez en français.
(a) Es-tu déjà allé(e) à Paris?
(b) Où es-tu resté(e)?
(c) Tu as fait des trajets en métro?
(d) Tu t'es promené(e) à Paris?
(e) Où es-tu allé(e)?

4 Répondez en français.
  e.g. Depuis combien de temps (for how long?) apprends-tu les maths?
       J'apprends les maths depuis huit ans.
(a) Depuis combien de temps apprends-tu le français?
(b) Depuis combien de temps apprends-tu l'anglais?
(c) Depuis combien de temps habites-tu ta maison?
(d) Depuis combien de temps es-tu dans cette salle?
(e) Depuis combien de temps habites-tu ton village/ta ville?

5 Express in French.
(a) They had been in Paris for two weeks.
(b) We have been here for two hours.
(c) I have been studying biology for three years.
(d) I had been waiting for three hours.
(e) How long have you been here?

6 Change the following sentences to express what has just taken place.
  e.g. Nous arrivons.   We arrive.
       Nous venons d'arriver. We have just arrived.
(a) Il sort.
(b) Elles partent.
(c) Nous faisons des achats.
(d) Je rentre.
(e) Vous arrivez?

Now say what had just taken place.
  e.g. Elle retournait. She was returning.
       Elle venait de retourner. She had just returned.
(f) Elles faisaient leurs devoirs.
(g) Je sortais.
(h) Nous descendions du train.
(i) Il ouvrait la porte.
(j) Ils se promenaient.

7 Now say what the new sentences mean in English.

8 Learn the new words.

9 You are travelling by underground in Paris. Your family/friends do not understand French. Explain to them in English what the signs (on p. 73) mean. Do not translate literally, but put them into your own words. Tell them what they can or cannot do.

10 Write a letter to your French penfriend about a visit to Paris.
(a) Tell him/her that you have just arrived in Paris.
(b) That you are staying at the hotel . . . (provide your own name).
(c) That you will be travelling on the underground tomorrow.
(d) That you like going around the shops.
(e) That you hope to have a trip on a sight-seeing boat.

End your letter in the usual friendly way. Add a PS. Say that you have now been in Paris for two days and that you are enjoying yourself.

11 Look at the centre of the underground map.
    You are at the CHÂTELET station.
    You wish to go to the CONCORDE station.
    What is the name of the line that you must take?
    (Remember to look for the last station on the line in the direction that you wish to go.)

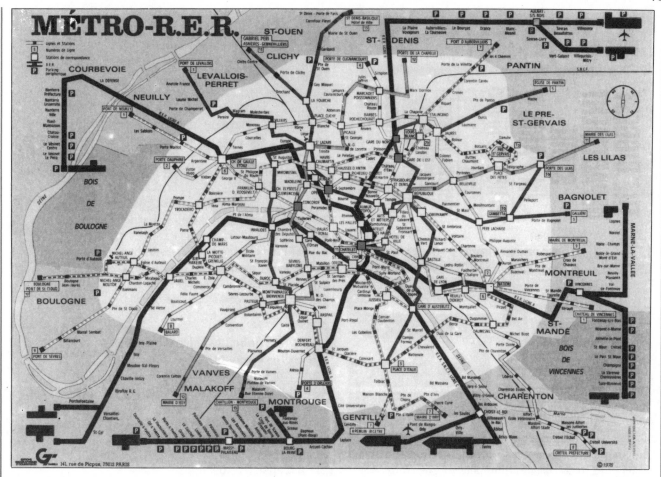

12 Look just above centre of the underground map.
You are at the OPÉRA station. You wish to go to the
GARE DU NORD. You will have to change at the GARE
DE L'EST (north-east of the OPÉRA).
What is the name of the line you must take to the
GARE DE L'EST? What sign will you then look for to
change lines? What is the next line that you will
have to take?

13 You are in Paris seeking directions to the
following underground stations. What would you
say in French to ask . . .

(a) How do I get to l'Étoile, please?
(b) How do I get to Pigalle, please?
(c) How do I get to l'Odéon, please?
(d) How do I get to the Gare de Lyon, please?
(e) How do I get to the Louvre, please?

14 In answer to your questions, you hear the
following. Explain to your parents/friends in
English how to get there.

(a) Il faut prendre direction PONT DE NEUILLY.
(b) Vous devez prendre direction PORTE DE LA
CHAPELLE.
(c) On doit prendre direction CHATILLON-MONTROUGE.
(d) Il faut d'abord prendre direction
CRÉTEIL-PREFECTURE puis changer à la BASTILLE.
(e) Vous devez d'abord prendre direction CHATILLON-
MONTROUGE, plus changer à la CONCORDE.

15 Below is an advert from a French newspaper.

PARIS EN VISITES
Dimanche 26 août.
'Montmartre', 14h 30, métro Abbesses (les
flâneries)
'Saint-Sulpice', 15 heures, métro Saint-Sulpice (les
visites)
'Le Marais', 21 heures, métro Pont-Marie (les
flâneries)

The advert is giving information about guided
visits and walks (les flâneries) and where/when to
meet.
Look at the underground map very carefully to
find where these stations are. Pont-Marie and
Saint-Sulpice are in the centre section. Abbesses is
in the top section.

(a) If you wish to visit the Marais district of Paris,
where and at what time should you meet the
guide?
(b) If you wish to visit Montmartre, where and when
should you meet the guide?
(c) If you wish to visit Saint-Sulpice, where and when
should you meet the guide?

Unit 13

Le cinéma et la télévision/Cinema and television

This unit covers:
(1) reading comprehension;
(2) talking about television programmes and films;
(3) how to buy cinema tickets;
(4) letter-writing;
(5) **grammar:** the pluperfect tense.

La famille Gavarin au cinéma

Quand la famille Gavarin avait fini de dîner au restaurant à Paris, ils ont décide d'aller au cinéma. Monsieur Gavarin avait acheté *Le Figaro* le matin et il avait cherché sur la page 'Spectacles' pour voir quels films il y avait aux cinémas. Il y avait toutes sortes de films – des westerns, des films policiers, des films d'amour, des films d'horreur, etc. Tous les membres de la famille voulaient voir un film différent. Madame Gavarin voulait voir un film d'amour, Céline voulait voir une comédie, Monsieur Gavarin voulait voir un film de guerre et Marc voulait voir un film d'horreur. On a disputé longtemps au sujet de quel film on allait voir. Enfin Monsieur Gavarin a dit,

'Il faut décider vite car il est déjà huit heures et demie.'

'Alors,' a répondu Madame Gavarin, 'allons au cinéma Concorde au coin de la rue. Il y a cinq salles et on aura un choix de films.'

Tout le monde était d'accord. Ils sont allés donc au cinéma Concorde.

Avant d'entrer dans le cinéma Monsieur Gavarin a payé les places au guichet. Il a acheté des billets de balcon.

Quand l'ouvreuse leur avait montré les places, Monsieur Gavarin lui a donné un pourboire. Le film a duré deux heures. Tout le monde a beaucoup aimé le film. On avait choisi une comédie.

New words

des films policiers   detective films
des films d'amour   romantic films
une comédie   comedy
un film de guerre   a war film
un film d'horreur   a horror film
un membre   member
se disputer   to argue
le balcon   balcony
l'ouvreuse (*f*)   usherette
le pourboire   tip
durer   to last

The 'pluperfect' tense

In the passage earlier in this Unit, you saw . . .
Quand la famille Gavarin **avait fini** de dîner . . .
When the Gavarin family *had* finished their dinner . . .

Monsieur Gavarin **avait** acheté *Le Figaro* . . .
Monsieur Gavarin *had* bought *Le Figaro* . . .

On **avait** choisi une comédie.
They *had* chosen a comedy.

The 'pluperfect' tense is formed from the imperfect tense of 'avoir' or 'être' and the past participle of the verb.

    If a verb is conjugated with 'avoir' in the perfect tense, then it will be conjugated with 'avoir' in the pluperfect tense.

    Similarly, if a verb is conjugated with 'être' in the perfect tense, it will be conjugated with 'être' in the pluperfect tense.

    Here are some examples of the pluperfect tense . . .

finir
j'avais fini   I had finished, etc.
tu avais fini
il avait fini
elle avait fini
nous avions fini
vous aviez fini
ils avaient fini
elles avaient fini

arriver
j'étais arrivé(e)   I had arrived, etc.
tu étais arrivé(e)
il était arrivé
elle était arrivée
nous étions arrivé(e)s
vous étiez arrivé(e)s
ils étaient arrivés
elles étaient arrivées

se lever
je m'étais levé(e)   I had got up, etc.
tu t'étais levé(e)
il s'était levé
elle s'était levée
nous nous étions levé(e)s
vous vous étiez levé(e)(s)
ils s'étaient levés
elles s'étaient levées

La télévision

Here are the symbols for the three main French television channels (**chaînes**).

TÉLÉVISION FRANÇAISE 1

ANTENNE 2

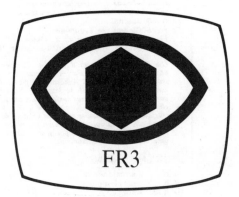

FRANCE RÉGIONS 3

On p. 78 you can see a selection of French television programmes on the three channels – TF1, A2, FR3. (You can also see some of the radio programmes for the radio stations FRANCE-CULTURE and FRANCE-MUSIQUE.)

Here are some key words . . .
Jeux   games/quiz games
Journal   news
Croque-Vacances   holiday magazine programme
Météo   weather forecast
Feuilleton   serial
Documentaire   documentary
Dessin animé   cartoon
une émission   programme

Mardi 31 juillet

PREMIÈRE CHAINE : TF 1

11 h 30 **TF1 Vision plus.**
11 h 55 **Quarante ans déjà.**
12 h **Jeux olympiques.** Résumé.
12 h 55 **Consommer sans pépins.**
13 h **Journal.**
13 h 30 **Série : la conquête de l'Ouest.**
14 h 20 **Micro-puce. Magazine de l'informatique.**
 Le mur de R. Portiche, la ferme à Jean, de R. Prévot.
16 h 30 **Croque-vacances :**
 Variétés, dessins animés, bricolage, feuilleton.
18 h 5 **Série : Votre auto a cent ans.**
 La Rolls Royce, l'automobile des rois.
18 h 15 **Contes à vivre debout.**
 Saint-Guilhem story : l'ancienne étape de la route de Saint-Jacques-de-Compostelle.
19 h 15 **Emissions régionales.**
19 h 35 **Point : Prix vacances.**
19 h 40 **Jeux olympiques.** Résumé.
20 h **Journal.**
20 h 35 **Les Mardis de l'information : la prison sans haine et sans crainte.** Magazine de la rédaction de TF1. (Rediffusion.)
 Roger Gicquel et Alain Retsin ont franchi les hauts murs de la dernière centrale construite en France, celle de Saint-Maur, à quelques kilomètres de Châteauroux, une de ces prisons trois étoiles, béton et verre, où vivent quatre cents hommes condamnés à de lourdes peines (dont quatre-vingt-sept à perpétuité), des « dangereux » contrôlés par un double mur d'enceinte et un mirador. Les journalistes ont eu « carte blanche » pour filmer ce qu'ils voulaient et interroger qui ils voulaient à condition de respecter l'anonymat des détenus (d'où les cagoules). Quatre jours pour écouter, enregistrer un monde lourd où l'on ne parle pas à la légère. L'émission est passée en juin 1983.
21 h 50 **Dialogue avec le sacré : la société des masques.**
 Réal. St. Kurc. Les chasseurs d'esprits maléfiques, les masques Wabele en pays senoufo.
 Situé dans les savanes du Nord ivoirien, les Senambele ou Senoufos sont des agriculteurs qui partagent leur univers en deux mondes, celui des puissances inconnues et incontrôlées de la brousse et le monde des règles sociales du village et des champs. Chaque village possède un bois sacré – que l'on peut assimiler à un temple – où se déroulent les initiations, avec les différents objets liés au culte, dont les masques.
22 h 20 **Journal.**
22 h 35 **Cinéma : le Troupeau.**
 Film turc de Y. Güney et Z. Okten (1978), avec M. Demirag, T. Akan, T. Kurtiz, L. Inanir, M. Niron (v.o. sous-titrée).
 Une famille de bergers d'Anatolie, dominée par un patriarche tyranique, prend le train pour aller vendre un troupeau de moutons à Ankara. Une partie des bêtes meurt en route, la famille se désagrège. Ecrit en prison par Y. Güney, réalisé, sous son contrôle, par son ami le cinéaste Zeki Okten, ce film montre le choc violent et tragique de deux mondes (rural et urbain), la débâcle d'un ordre patriarcal ; la condition féminine opprimée, les contradictions du développement industriel en Turquie, une grande œuvre humaniste.

DEUXIÈME CHAINE : 2

8 h **Journal météo.**
8 h 5 **Jeux olympiques.**
10 h 30 **Antiope.**
12 h **Journal** (et à 12 h 45 et 18 h 40).
12 h 10 **Série : Les globe-trotters.**
12 h 30 **Feuilleton : les Amours de la Belle Epoque.**
13 h 35 **Série : Chaparral.**
14 h 30 **Sports été : Jeux olympiques.**
18 h **Récré A 2.**
18 h 50 **Jeu : Des chiffres et des lettres.**
19 h 15 **Emissions régionales.**
19 h 40 **Le théâtre de Bouvard.**
20 h **Journal.**
20 h 35 **Cinéma : Anthracite.**
 Film français d'E. Niermans (1980), avec B. Cremer, J. Bouise, J.-P. Dubois, J. Zucca, J.-P. Ragot, P. Bisciglia.
 En 1952, dans un collège de jésuites, un surveillant s'élève contre l'éducation trop autoritaire. Son zèle évangélique, ses excès mystiques, ne lui valent que railleries, cruauté, abandon, de la part des élèves. Inspiré par les souvenirs d'adolescence du réalisateur, ce film est un peu forcé dans sa volonté de noirceur. On remarque le soin apporté à la mise en scène, Jérôme Zucca en garçon fragile et Jean-Pol Dubois, en « Anthracite ».
22 h 5 **Documentaire : Artistes contemporains.**
 Les sculpteurs Bernard Pagès et Toni Grand. Réal. P.-A. Boutang et Y. Michaud.
 Troisième et dernière partie. Bernard Pagès, né en 1940 à Cahors, travaille aujourd'hui dans le haut pays niçois. Proche du groupe Support-Surface, il a été
 peintre avant de devenir sculpteur, il est passé de la pierre aux tôles et aux branchages, puis des classements aux assemblages. Il se définit comme un « baroque européen ». Toni Grand, né en 1935 près de Nîmes, travaille sur le bois et les branches, qu'il double depuis quelques années par des moulages.
23 h 5 **Journal.**
23 h 25 **Bonsoir les clips.**
23 h 45 **Jeux Olympiques.**

TROISIÈME CHAINE : FR 3

19 h 3 **Jeu littéraire : Les mots en tête.**
19 h 15 **Emissions régionales.**
19 h 40 **André... Evelyne... Souvenirs, souvenirs.**
 Evelyne Dandry, bordelaise, basque de cœur, accompagnée des ballets et de la chorale d'Oldarra, nous fait découvrir son père – André Dassary – et les chants et danses de son enfance.
19 h 55 **Dessin animé : l'Inspecteur Gadget.**
20 h 5 **Les jeux.**
20 h 35 **Cinéma : Lucky Luciano.**
 Film italien de F. Rosi (1973), avec G.-M. Volonte, R. Steiger, Ed. O'Brien, C. Siragusa, V. Gardenia, C. Cioffi. (Rediffusion)
 Chef de la Mafia aux États-Unis, condamné à une lourde peine de prison, puis libéré au bout de neuf ans, pour avoir contribué à la réussite du débarquement allié en Sicile, expulsé à Naples, en 1946, Lucky Luciano a-t-il organisé le trafic international de la drogue ? Film-enquête, film-puzzle, rassemblant des morceaux épars de chronologie, des faits vrais, des éléments de dossier ; film politique qui n'a pu complètement déchiffrer une figure très complexe, mais a établi, comme toujours chez Rosi, une réflexion sur le pouvoir, légal ou non.
22 h 20 **Journal.**
22 h 40 **Histoire de l'art : la Vénus de Milo.**
 Deuxième émission d'une série consacrée à des œuvres connues au point d'être mythiques, tableaux, sculptures, tapisseries.
22 h 55 **Prélude à la nuit.**
 Sonate pour hautbois et piano, de Francis Poulenc, par les lauréats de la Fondation Samson François, avec David Walter, hautbois, et Dominique My, piano.

FRANCE-CULTURE

7 h **Cinq regards sur la société d'aujourd'hui :** l'éthique punk ; pour un humanisme stellaire.
8 h **Pages entomologiques de Jean-Henri Fabre.**
9 h 5 **Un métier comme art :** le restaurateur de tableaux, René Vassalo.
10 h **Histoire de la piraterie.**
11 h **Musique :** Black and Blue, un disque, un livre.
12 h **Panorama.**
13 h 30 **Feuilleton :** « Aimé de son concierge ».
14 h **Les cultures face aux vertiges de la technique :** Amazonie, le Grand parler et la Terre laide.
15 h 3 **Embarquement immédiat :** La Bulgarie.
15 h 30 **Musique :** les terrasses de l'été, en France et à Prague.
16 h 30 **Promenades ethnologiques en France :** Ramon dans les Pyrénées.
17 h 30 **Entretiens - Arts plastiques :** Mayo ou le bonheur par petites touches.
18 h **La deuxième guerre mondiale :** la remilitarisation de la Rhénanie le 7 mars 1936.
19 h 25 **Lectures.**
19 h 30 **Itinéraires de la solitude féminine.**
20 h **Blaise Cendrars, poète intercontinental :** le démon du voyage.
20 h 30 **Dramatiques :** « (Manque d') Aventures en Patagonie », par P. Keineg ; avec P. Clévenot, B. Bloch, M.G. Pascal...
22 h **La criée aux contes autour du monde :** Matteo Maximov, tzigane.
23 h **Bestiaire :** le hérisson.
23 h 20 **Musique limite.**
23 h 40 **Place des étoiles.**

FRANCE-MUSIQUE (à Aix-en-Provence)

6 h **Musique légère.**
7 h 10 **Actualité du disque compact.**
9 h 5 **Méditerranées :** L'Antiquité revisitée ; œuvres de Stravinski, Debussy, Ravel.
12 h **Concert :** œuvres de Xenakis, Ravel, Schumann, par l'Orchestre de la Méditerranée, dir. M. Tabachnik, sol. Z. Gal, soprano.
13 h 20 **Jazz.**
14 h **Courrier du Sud :** Un hiver à Majorque.
17 h **L'Imprévu** (en direct des Deux Garçons) et à 19 h 5.
18 h **Une heure avec...** Ghyslaine Raphanel.
19 h 30 **Jazz** (au Festival de Juan-les-Pins).
20 h **Musiques à danser :** œuvres de Debussy, Roussel, Scelsi, Boulez, Riley.
21 h 30 **Concert** (en direct du théâtre de l'Archevêché) : œuvres de Brahms, Strauss, Duparc, Satie, par Jessye Norman, accompagnée par Philipp Moll, piano.
23 h 30 **Les soirées de France-Musique :** Jazz club (en direct du Hot Brass) : les groupes Keops et Galigai.

Activités

1 Learn the new words.

2 Answer the following questions by choosing the most appropriate of the given answers.

(a) Quand est-ce que la famille est allée au cinéma?
   (i) Après le dîner
   (ii) Avant le dîner
   (iii) Pendant le dîner
   (iv) L'après-midi

(b) Qu'est-ce que Monsieur Gavarin avait acheté ce matin-là?
   (i) Des billets de cinéma
   (ii) Des billets de théâtre
   (iii) Un journal
   (iv) Un magazine

(c) Qu'est-ce que Monsieur Gavarin voulait savoir?
   (i) S'il y avait des cinémas
   (ii) Où étaient les cinémas
   (iii) S'il y avait des films français
   (iv) Le nom des films aux cinémas

(d) Qu'est-ce que les membres de la famille voulaient voir?
   (i) Le même film
   (ii) Des films différents
   (iii) Une pièce de théâtre
   (iv) L'ouvreuse

(e) Pourquoi ont-ils dû choisir vite?
   (i) Il était tard.
   (ii) Il était de bonne heure.
   (iii) Le film avait déjà commencé.
   (iv) Le film allait finir.

(f) Où se trouvait le cinéma Concorde?
   (i) En face du restaurant
   (ii) Loin
   (iii) Tout près
   (iv) Derrière l'hôtel

(g) Qu'est-ce que Monsieur Gavarin a fait avant d'entrer dans le cinéma?
   (i) Il a acheté des glaces.
   (ii) Il a acheté les billets.
   (iii) Il a payé l'ouvreuse.
   (iv) Il a trouvé une place.

(h) Au cinéma la famille Gavarin . . .
   (i) s'est bien amusée
   (ii) s'est ennuyée
   (iii) a dormi
   (iv) s'est disputée

3 Look at the extract of films from a newspaper. How many of them do you recognize?

L'ÉNIGME DE KASPAR HAUSER (All., v.o.) : Saint-Ambroise, 11e (700-89-16).
L'ÉTÉ MEURTRIER (Fr.) : UGC Opéra, 2e (261-50-32) ; Rotonde, 6e (633-08-22) ; Marbeuf, 8e (225-18-45) ; UGC Convention, 15e (828-20-64).
L'ÉTRANGER (It.) : Logos I, 5e (354-42-34).
EXCALIBUR (A., v.o.) : George V, 8e (562-41-46) ; Parnassiens, 14e (329-83-11).
EVE (A., v.o.) : Olympic Luxembourg, 6e (633-97-77).
FAME (A., v.o.) : Elysées Lincoln, 8e (359-36-14) ; Saint-Michel, 5e (326-79-17).
FANNY ET ALEXANDRE (Suèd., v.o.) : Calypso (H. sp.), 17e (380-30-11).
LE FAUX COUPABLE (A., v.o.) : Epée de Bois, 5e (337-57-47).
LA FÉLINE (Tourneur 1942), (v.o.) : 7e Art Beaubourg, 4e (278-34-15).
LA FILLE DE RYAN (Ang., v.o.) : Action Rive gauche, 5e (329-44-40) ; Escurial, 13e (707-28-04).
FENÊTRE SUR COUR (A., v.o.) : Reflet Quartier latin, 5e (326-84-65).
FRITZ THE CAT (A., v.o.) : Ciné Beaubourg, 3e (271-52-36) ; Cluny Ecoles, 5e (354-20-12) ; UGC Biarritz, 8e (329-69-23) ; Olympic, 14e (545-35-38).
GIMME SHELTER (A., v.o.) : Vidéostone, 6e (325-60-34).
GRAINE DE VIOLENCE (A., v.o.) : Reflet Médicis, 5e (633-25-97).
LE GUÉPARD (It., v.o.) : Olympic Marilyn, 14e (545-35-38).
LA GUERRE DU FEU (Fr.) : Lucernaire, 6e (544-57-34).
GUERRE ET PAIX (Sov., v.o.) : Cosmos, 6e (544-28-80).
HAIR (A., v.o.) : Boîte à films, 17e (622-44-21).
HARDCORE (A., v.o.) : André Bazin, 13e (337-74-39).
HIROSHIMA MON AMOUR (Fr.) : Movies, 1er (260-43-99).

TAXI DRIVER (A., v.o.) (**) : Ciné Beaubourg, 3e (271-52-36) ; Boîte à films, 17e (622-44-21).
THE BLUES BROTHERS (A., v.o.) : UGC Danton, 6e (329-42-62) ; Biarritz, 8e (723-69-23).
THE ROSE (A., v.o.) : Châtelet Victoria, 1er (508-94-14).
THE SERVANT (A., v.o.) : Champo, 5e (354-51-60).
TO BE OR NOT TO BE (Lubitsh), (A., v.o.) : Saint-André des Arts, 6e (326-48-18).
TRISTANA (Esp., v.o.) : Forum, 1er (297-53-74) ; Quintette, 5e (633-79-38) ; George V, 8e (562-41-46) ; 14 Juillet Bastille, 11e (357-90-81) ; Parnassiens, 14e (329-83-11) ; v.f. : Lumière, 9e (246-49-07).
UNE ÉTOILE EST NÉE (A., v.o.) (version intégrale) : Gaumont Halles, 1er (297-49-70) ; Publicis Saint-Germain, 6e (222-72-80) ; Gaumont Colisée, 8e (359-04-67) ; Bienvenue Montparnasse, 15e (544-25-02) ; Kinopanorama, 15e (306-50-50).
VICTOR, VICTORIA (A., v.o.) : Pagode, 7e (705-12-15).
VIVRE ET LAISSER MOURIR (A., v.o.) : Cluny Palace, 5e (354-07-76) ; Ambassade, 8e (359-19-08). — V.f. : Français, 9e (770-33-88) ; Maxéville, 9e (770-72-86) ; Montparnos, 14e (327-52-37) ; Gaumont Convention, 15e (828-42-27).
WEST SIDE STORY (A., v.o.) : Paramount Odéon, 6e (325-59-83) ; Balzac, 8e (561-10-60).
ZÉRO DE CONDUITE (Fr.), Denfert, 14e (321-41-01).

Les festivals

ERIC ROHMER : COMÉDIES ET PROVERBES : Studio Cujas, 5e (354-89-22) : le Beau Mariage.
ERIC ROHMER : ELOGE A LA RIGUEUR : Denfert, 14e (321-41-01) : le Genou de Claire ; la Carrière de

4 Learn the pluperfect tense.

5 Change the verb in the following sentences to the pluperfect tense.
   e.g. J'ai acheté du pain.
        J'*avais acheté* du pain.

(a) Il a regardé la télévision.
(b) Nous sommes allés au cinéma.
(c) Ils ont regardé Antenne 2.
(d) Elle a acheté *Télé 7 Jours**.
(e) Vous vous êtes assis au balcon.
(f) Le film a commencé à neuf heures.
(g) Nous sommes sortis à onze heures et demie.
(h) Tu as regardé France Régions 3?
(i) J'ai déjà vu ce film policier.
(j) Elles ont déjà acheté les billets.

**Tele 7 Jours* is the French equivalent of *Radio Times* and *TV Times*.

6 Now say what the completed sentences above mean in English.

Activités *continued*

7 You were supposed to meet a friend outside the cinema at eight o'clock. You arrived at half-past eight. You tell your friend in French what *had* happened to make you late.
Tell your friend . . .
(remember to use the 'je' form of the verb)

(a) that you had been to town
(b) that you had missed (manquer) the bus
(c) that you had lost your purse
(d) that you had had to walk home
(e) that you had lost your key
(f) that your parents had gone out
(g) that you had gone to a neighbour's to telephone your parents
(h) but that they had also gone out
(i) then you had decided to go to your aunt's
(j) and that you had had tea there

8 *Répondez en français.*

(a) Tu aimes le cinéma?
(b) Tu vas souvent au cinéma?
(c) Tu aimes les comédies?
(d) Tu préfères les films de science-fiction?
(e) As-tu vu des films français?
(f) Es-tu allé(e) au cinéma en France?
(g) Préfères-tu le cinéma ou la télévision?
(h) Tu regardes la télévision chaque jour?
(i) Combien d'heures par jour regardes-tu la télévision?
(j) Et tes parents, ils regardent souvent la télévision?

9 You have gone with a friend to the cinema in France. You are at the ticket-office.

(a) Say 'good evening' to the assistant (female).
(b) Say that you would like two tickets for the balcony.
(c) Ask how much.
(d) Ask if the film has already begun.
(e) Ask if it is sub-titled (**sous-titré**).
(f) Thank the assistant.

10 *Répondez en français.*

(a) Tu as regardé la télévision hier soir?
(b) Quelles émissions as-tu vues?
(c) Tu préfères les jeux ou les feuilletons?
(d) Tu préfères écouter la radio ou regarder la télévision?
(e) Quelle est ton émission préférée?
(f) Tu as vus des émissions en France?
(g) A quelle heure commence la première émission sur la première chaîne? (Regardez l'extrait à la page 78.)
(h) A quelle heure commence la première émission sur la deuxième chaîne?
(i) A quelle heure commence la première émission sur la troisième chaîne?
(j) A quelle heure commence la dernière émission sur la troisième chaîne?

11 Look carefully at the television programmes on p. 78. Then answer the following questions in English.

(a) Are there news programmes on each of the three channels?
(b) On which channel is the quiz game *Des chiffres et des lettres?* (This is the French version of Countdown on British Channel 4).
(c) At what time is there a programme about cars on TF 1?
(d) Which channel has a documentary programme?
(e) Which channel has regional items?

12 You are staying with your French penfriend and you would like to know what is on television. Ask the following questions in French.
e.g. What's on television at 6 p.m.?
Qu'est-ce qu'il y a à la télévision à six heures ce soir?

(a) What's on television at eight o'clock this evening?
(b) What's on television on Channel 2?
(c) What's on television on Channel 1 this evening?
(d) Are there any quiz programmes?
(e) Is there a serial?
(f) At what time is the news?
(g) Is there a cartoon?
(h) Is there a film?
(i) At what time does the programme end?
(j) Are there any westerns?

13 Write a letter to your French penfriend telling him/her about the programmes you watch/like on television and asking him/her about the programmes he/she watches. Ask also if he/she goes to the cinema and which films he/she likes. Begin and end in the usual way.

Unit 14

La météo/ Weather

This unit covers:
(1) reading comprehension;
(2) talking about the weather;
(3) asking about the weather forecast;
(4) letter-writing;
(5) **grammar:** future perfect and conditional perfect tenses.

Check Volume 1 Unit 22 for previous weather symbols.

New words
faible   weak
modéré   moderate
la tempête   storm
couvert   cloudy/overcast
peu   little/not very
nuageux   cloudy
le ciel   sky
clair   clear
la bruine   drizzle
une averse   shower
le verglas   black ice
un orage   thunderstorm
brumeux   misty

Des symboles météorologiques

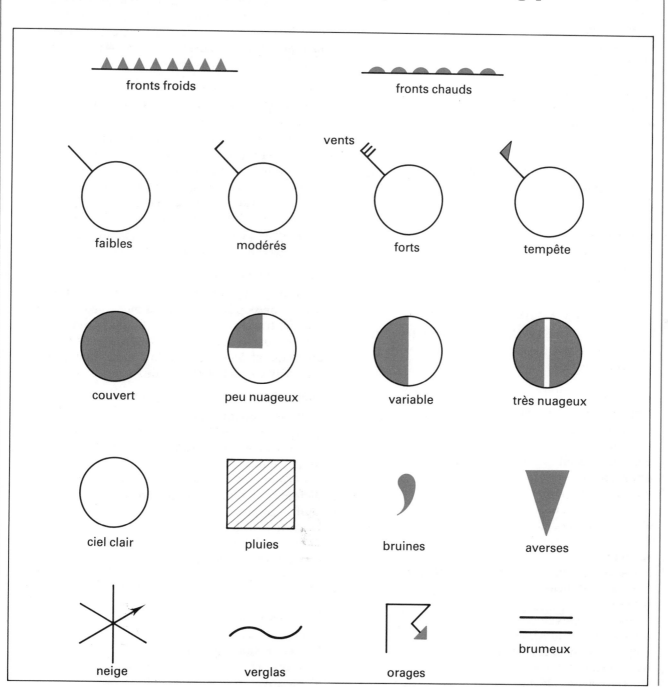

fronts froids

fronts chauds

vents

faibles

modérés

forts

tempête

couvert

peu nuageux

variable

très nuageux

ciel clair

pluies

bruines

averses

neige

verglas

orages

brumeux

Unit 14 continued

The 'future perfect' tense

This tense is formed with the *future* tense of 'avoir' or 'être' and the *past participle* of the verb. It means *'shall have . . .'*

e.g. **J'aurai fini** mes devoirs . . .

I shall have finished my homework . . .

If a verb is conjugated with 'avoir' in the perfect tense, then it will also be conjugated with 'avoir' in the future perfect and conditional perfect tenses.

Similarly, if a verb is conjugated with 'être' in the perfect tense, it will be conjugated with 'être' in the future perfect and conditional perfect tenses.

Examples of the future perfect tense . . .

finir
j'aurai fini   I shall have finished, etc.
tu auras fini
il aura fini
elle aura fini
nous aurons fini
vous aurez fini
ils auront fini
elles auront fini

partir
je serai parti(e)   I shall have left, etc.
tu seras parti(e)
il sera parti
elle sera partie
nous serons parti(e)s
vous serez parti(e)(s)
ils seront partis
elles seront parties

The 'conditional perfect' tense

This tense is formed with the *conditional* tense of 'avoir' or 'être' and the past participle of the verb. It means *'would have . . .'*

e.g. **écrire**
j'aurais écrit   I would have written, etc.
tu aurais écrit
il aurait écrit
elle aurait écrit
nous aurions écrit
vous auriez écrit
ils auraient écrit
elles auraient écrit

se lever
je me serais levé(e)   I would have got up, etc.
tu te serais levé(e)
il se serait levé
elle se serait levée
nous nous serions levé(e)s
vous vous seriez levé(e)(s)
ils se seraient levés
elles se seraient levées.

Le climat en France

Si vous faites des projets pour aller passer les vacances en France, étudiez la météo pour savoir quel temps il fera dans la région que vous aurez choisie. Le climat en France varie selon la saison et chaque région a son propre climat.

Le climat au printemps

Au printemps il fait toujours froid dans les régions montagneuses. Dans les Alpes, dans les Pyrénées et même dans le Massif Central, il peut neiger au printemps. Au contraire, sur la côte méditerranée il fait beau et assez chaud. Dans le centre de la France, il pleut souvent et dans le nord il fait frais. Il fait du vent tout comme en Angleterre.

Le climat en été

Tout le monde sait qu'il fait chaud en France, surtout dans le Midi. Il fait chaud aussi sur la côte atlantique. Dans le nord de la France et en Bretagne il fait beau et chaud comme dans le sud de l'Angleterre. Dans le centre de la France, il fait généralement très chaud, mais près des montagnes, il pleut de temps en temps et quelquefois il y a des orages.

Le climat en automne

Dans le Midi de la France il fait toujours beau en automne. On préfère souvent l'automne dans cette région car il y fait souvent trop chaud en été. Dans le nord de la France, au contraire, il pleut souvent en automne et il y a des bruines et même du brouillard. Dans les régions montagneuses il commence déjà à neiger. Dans le centre de la France il pleut de temps en temps et il fait frais le matin et le soir. Sur la côte atlantique il pleut de temps en temps aussi mais dans le sud-ouest il fait généralement beau.

Le climat en hiver

En hiver, sauf pour le sud de la France, il fait froid. Il neige beaucoup dans les régions montagneuses, et les routes à travers les Alpes et les Pyrénées sont souvent bloquées par des congères. Il pleut souvent sur la côte atlantique et dans le nord de la France. Tout le monde attend avec impatience la fin de l'hiver.

New words

la météo   weather forecast
montagneux/montagneuse   mountainous
au contraire   on the contrary
assez   quite
généralement   generally
de temps en temps   from time to time
sauf   except
la route   road
bloqué   blocked
la congère   snowdrift

Météo

Some new words

épars(es)   scattered
l'amélioration   improvement
ailleurs   elsewhere
s'étendre   to stretch/extend

l'ensemble   whole
épargner   to spare
une éclaircie   bright interval
la moitié   half
souffler   to blow
atteindre   to reach
par rapport à   in comparison with

Activités

1 Learn the new words for the weather symbols.

2 *Quel temps fait-il?*

Look at the symbols below and then use one of the following to describe the weather

il pleut   il y a des orages
il neige   il y a une tempête
il pleut à verse

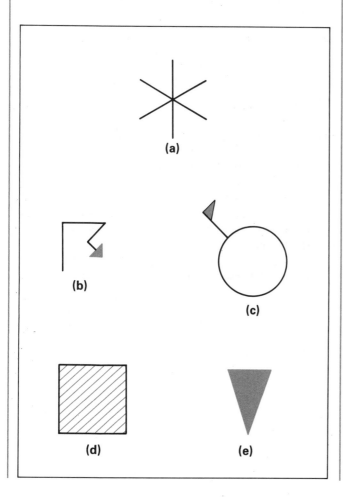

(a)

(b)

(c)

(d)   (e)

3 Using the same symbols as in Activité 2, now say what the weather will be tomorrow. (Demain il . . .) Use the future tense.

4 Using the same symbols as in Activité 2, say what the weather was like yesterday. (Hier il . . .) Use the perfect tense.
   N.B. The perfect tense of 'il pleut' is 'il a plu'.

5 Complete the following sentences with the verb/tense indicated.
   e.g.   Je (préférer/conditional perfect) sortir.
          J'aurais préféré sortir.

(a) S'il neige, je (rester/future) à la maison.
(b) S'il neigeait, je (rester/conditional) à la maison.
(c) S'il avait neigé, je (rester/conditional perfect) à la maison.
(d) Nous (faire/conditional perfect) nos devoirs.
(e) Vous (finir/future perfect) dans une heure.
(f) Quand tu (lire/future perfect) ce livre, prête*-le-moi.
(g) Quand elle (arriver/future perfect), je te téléphonerai.
(h) Ils (préférer/conditional perfect) rester à la maison.
(i) Il (rester/conditional perfect) à la côte méditerranée.
(j) S'il avait fait beau, je (aller/conditional perfect) à la piscine.

*prêter   to lend

6 Now say what the completed sentences above mean in English.

7 *Répondez en français.*
(a) Quel temps fait-il aujourd'hui?
(b) Quel temps a-t-il fait hier?
(c) Quel temps fera-t-il demain?
(d) S'il fait beau demain, où iras-tu?
(e) S'il avait fait beau hier, où serais-tu allé(e)?
(f) Qu'est-ce ce que tu aurais fait?
(g) Tu serais resté(e) à la maison?
(h) Quand tu auras lu ce livre, tu le prêteras à un(e) ami(e)?
(i) Quand tu seras rentré(e) à l'école en septembre, tu continueras à étudier le français?
(j) Quand tu auras quitté l'école, tu seras content(e)?

8 Learn the new words in the passage 'Le climat en France'.

9 Answer the following questions in English.
(a) Does the whole of France have the same climate?
(b) What is the weather like in the mountainous areas in spring?
(c) What is the weather like on the Mediterranean coast in spring?
(d) What is the weather like in the north of France in summer?
(e) What sometimes happens to the weather in the mountainous regions in summer?
(f) What is the weather like in the south of France in autumn?
(g) What is the weather like in the north of France in autumn?

Activités continued

(h) What is the weather like in the mountainous regions in autumn?

(i) What is the weather like in winter in the south of France?

(j) What sometimes happens to the roads in the Alps and Pyrenees in winter?

10 *Répondez en français.* Base your answers on the passage 'Le climat en France'.

(a) Quand on fait des projets pour aller passer des vacances en France, qu'est-ce qu'il faut étudier?

(b) Est-ce que la France a un climat varié?

(c) Quel temps fait-il dans le Massif Central au printemps?

(d) Quel temps fait-il dans le centre de la France au printemps?

(e) Quel temps fait-il en Angleterre au printemps?

(f) Quel temps fait-il sur la côte atlantique en été?

(g) Quel temps fait-il en Bretagne en été?

(h) Quel temps fait-il dans le sud de l'Angleterre en été?

(i) Dans le centre de la France, quel temps fait-il le matin en automne?

(j) Quel temps fait-il dans le nord de la France en hiver?

11 Write a letter to your French penfriend telling him/her what the weather is like during the different seasons in the part of the country where you live. Tell him/her what you do when the weather is cold/hot/sunny/rainy. Ask him/her about the climate in the part of France where he/she lives. Tell him/her about some of the regional climatic differences of the British Isles, e.g. the general weather pattern for Scotland (**L'Ecosse**), Ireland (**L'Irlande**), Wales (**Le Pays de Galles;**, Cornwall (**Les Cornouailles**), etc. during the different seasons.

12 Learn the new words in 'Météo'.

13 Answer the following questions in English.

(a) What will the weather be like in the Paris area in the morning?

(b) And in the afternoon?

(c) What will the weather be like in the Pyrenees in the morning?

(d) What will the weather be like in the Rhône valley?

(e) What will the weather be like tomorrow evening in Brittany?

14 *Répondez en français.*

(a) Le bulletin météorologique, c'est pour quel jour?

(b) Et à quelle heure de la journée?

(c) Est-ce qu'il fait beau temps partout?

(d) Où est-ce qu'il pleut?

(e) Est-ce qu'il neige dans les Alpes?

15 Look at the temperature charts in the bottom right-hand corner.
Puis répondez en français.

(a) Fait-il plus chaud à Grenoble qu'à Marseille?

(b) Fait-il plus chaud à Nice qu'à Madrid?

(c) Fait-il plus chaud à Dakar qu'à La Rochelle?

(d) Quel est l'endroit* le plus chaud en France?

(e) Quel est l'endroit le plus chaud en Italie?

*l'endroit   place

16 You are seeking information about the weather in France. Ask the following questions in French.

(a) What will the weather be like tomorrow?

(b) Will it be warm?

(c) Will it rain?

(d) Will it snow?

(e) Will there be any storms?

You also wish to know about specific places. Ask the following in French.

(f) Is it warmer in Nice than in Nancy?

(g) Is it warmer in Paris than in Lille?

(h) Is it warmer in Bordeaux than in Cherbourg?

(i) Which is the warmest place in France?

(j) Which is the coldest place in France?

17 You are writing a weather report for various places in France. Use the passage 'Météo' to help you express the following in French.

The rain in the Paris region in the morning will be followed by bright intervals.

The cloudy weather in the Pyrenees will extend to the whole country. The wind will be strong in the Rhône valley.

The maximum temperature will scarcely rise above 19 degrees near the Channel coast.

METEO

Nuages et orages

RÉGION PARISIENNE. — Le temps couvert avec pluie orageuse le matin sera suivi d'un temps variable avec averses éparses en fin de matinée. Puis l'amélioration se produira dans l'après-midi.

La température maximale ne dépassera guère 20 degrés et les vents s'orienteront du sud à l'ouest.

AILLEURS. — Le temps très nuageux à couvert, avec des pluies et des orages, situé le matin des Pyrénées-Occidentales au Cotentin et au Nord, s'étendra à l'ensemble du pays en épargnant toutefois l'extrême Sud-Est et la Corse.

Un temps plus frais avec éclaircies s'établira progressivement sur la moitié nord-ouest du pays.

Le vent soufflera assez fort du sud dans la vallée du Rhône et du Sud-Est près du golfe du Lion.

Les températures maximales ne dépasseront guère 20 degrés près de la Manche, 25 degrés en Aquitaine, mais atteindront encore 30 degrés de la Méditerranée au Nord-Est.

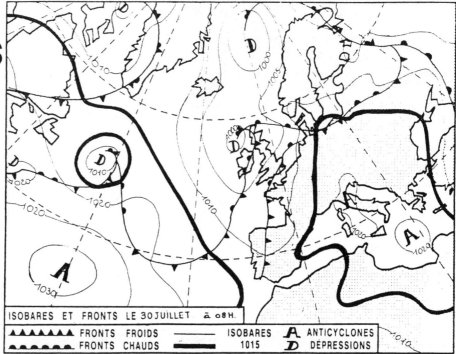

ISOBARES ET FRONTS LE 30 JUILLET à 08H.

▲▲▲▲▲ FRONTS FROIDS   ——— ISOBARES   **A** ANTICYCLONES
●●●●● FRONTS CHAUDS   ▬▬ 1015   **D** DÉPRESSIONS

La tendance orageuse va s'accentuer et des perturbations venant de l'ouest vont traverser la France, accompagnées de pluies orageuses. Elles seront suivies d'une accalmie temporaire.

DEMAIN. — Les nuages, nombreux le matin des Vosges aux Alpes, feront place à de belles éclaircies.

Près des côtes de la Manche, les nuages plus nombreux donneront de la pluie, le soir, en Bretagne.

Les températures maximales varieront peu par rapport à celles de la veille.

PRESSION ATMOSPHÉRIQUE à Paris le 30 juillet à 14 heures : 756,1 millimètres de mercure, soit 1 008,1 millibars.

SOLEIL : lever, 6 h 24 ; pass. au méridien, 13 h 57 ; coucher, 21 h 29 ; durée du jour, 15 h 05.

LUNE (3ᵉ jour) : lever, 8 h 30 ; pass. au méridien, 15 h 58 ; coucher, 23 h 08.

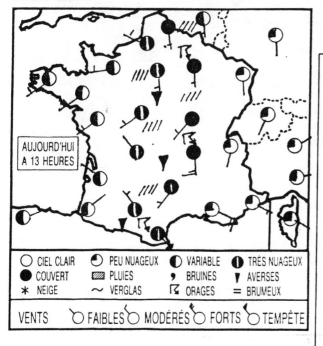

AUJOURD'HUI A 13 HEURES

○ CIEL CLAIR   ◐ PEU NUAGEUX   ◑ VARIABLE   ● TRÈS NUAGEUX
● COUVERT   ▨ PLUIES   ، BRUINES   ▼ AVERSES
✳ NEIGE   ~ VERGLAS   ⚡ ORAGES   = BRUMEUX

VENTS   ⌐ FAIBLES ⌐ MODÉRÉS ⌐ FORTS ⌐ TEMPÊTE

CLIMATS POUR VOS VACANCES

● Première colonne : temps à 14 heures (heure de Paris), le 30 juillet (S : soleil ; N : nuageux ; C : couvert ; P : pluie ; A : averse ; O : orage ; B : brouillard ; * : neige).
● Deuxième colonne : température à 8 heures (heure de Paris), le 30 juillet.
● Troisième colonne : température à 14 heures (heure de Paris), le 30 juillet.

Étant donné l'important décalage horaire entre Paris et certaines stations étrangères (celles d'Extrême-Orient, en particulier), les températures qui y sont relevées à 8 heures (heure de Paris) peuvent être parfois supérieures à celles relevées à 14 heures (heure de Paris).

FRANCE

Ajaccio	S	18	28
Biarritz	S	19	27
Bordeaux	C	17	26
Brest	P	15	18
Cherbourg	N	15	23
Clermont-F.	S	20	32
Dijon	S	16	30
Dinard	N	15	22
Embrun	S	12	29
Grenoble	S	19	33
La Rochelle	C	20	23
Lille	S	18	32
Limoges	N	20	28
Lorient	C	16	20
Lyon	S	22	31
Marseille	S	23	28
Nancy	S	14	31
Nantes	C	18	26
Nice	S	20	26

ESPAGNE – PORTUGAL

Barcelone	S	19	28
Las Palmas	S	21	25
Madrid	S	19	32
Marbella	S	20	28
Palma Maj.	S	16	32
Séville	S	19	30
Lisbonne	N	18	23
Madère	S	19	24
Porto	B	16	24

ITALIE

Florence	S	20	31
Milan	S	20	28
Naples	B	20	29
Olbia	B	20	26
Palerme	S	20	27
Reggio Cal.	S	23	28
Rimini	S	18	28
Rome	S	20	28

RESTE DU MONDE

AFRIQUE DU NORD

Agadir	S	20	35
Alger	B	21	40
Casablanca	N	21	24
Djerba	S	23	30
Marrakech	S	21	32
Tunis	S	23	31

AFRIQUE

Abidjan	C	20	25
Dakar	P	20	29
Le Cap	N	13	17

PROCHE-ORIENT

Beyrouth	S	22	28
Eilat	S	30	35
Le Caire	S	23	33

U.S.A. - CANADA

Boston	C	20	21

Unit 15

Les maisons et le ménage/Houses and housework

This unit covers:
(1) reading comprehension;
(2) letter-writing;
(3) describing what you do and do not do at home;
(4) expressing opinions;
(5) **grammar:** verbs followed by the infinitive, with and without prepositions.

L'Immobilier

Here are three adverts for houses in France taken from a newspaper and magazine, from the section . . . 'L'immobilier' (property).

(1) APPARTEMENT/VENTE
PARIS, Place Daumesnil (près):
Rez-de-chaussée: séjour, cuisine, 3 chambres, salle de bains, W.C.

(2) PAVILLON/DEMANDE
RAMBOUILLET (près),
Salon, salle à manger, cuisine equipée
4 chambres, salle de bains, W.C., sous-sol, jardin, garage 2 voitures.

(3) Très bon agencement du plan réparti sur deux niveaux. A signaler: le grand garage pour deux voitures, les trois chambres équipées de placards, l'appartement complet des parents, et les double-vasques des salles de bains.

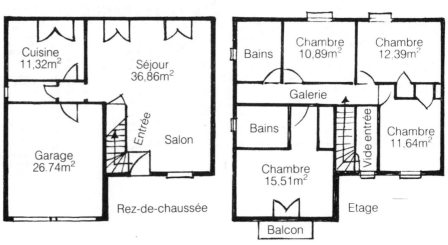

New words

un appartement flat
le rez-de-chaussée ground floor
vente (for) sale
le pavillon bungalow
demandé wanted
une cuisine équipée fitted kitchen
le sous-sol basement
l'agencement (*m*) arrangement
réparti set out
le niveau level
les double-vasques double wash-basins

Infinitives with and without prepositions

As you have been working through Volumes 1 and 2
you have seen sentences where there are two verbs
together and where the second one is an infinitive.
Sometimes, you will have seen the preposition 'à' or
'de' in between the verbs.
Here are some examples . . .

(1) Verb + infinitive

Je vais ranger ma chambre.
I am going to tidy my room.
J'aimerais sortir.
I would like to go out.

(2) Verb + 'à'

J'apprends à nager.
I am learning to swim.
Il a commencé à courir.
He began to run.

(3) Verb + 'de'

J'ai oublié de nettoyer ma chambre.
I forgot to clean my room.
Ma mère m'a dit de rentrer avant dix heures.
My mother told me to come back home before ten
o'clock.

There is no easy way of remembering or knowing
which to use when. You will have to learn each verb
separately and learn whether or not there is a
preposition to be used before the infinitive.
    Here are three lists of verbs. Learn each one
separately. Say the words aloud and say the
preposition each time (if there is one). These are verbs
which you will frequently meet in French.

(1)	aimer	**(2)**	aider à	**(3)**	avoir peur de
	aller		apprendre à		avoir besoin de
	devoir		commencer à		décider de
	espérer		réussir à		essayer de
	pouvoir				finir de
	préférer				oublier de
	savoir				
	vouloir				

Si tu vivais seul!

Tu te disputes avec tes parents? Tu te disputes avec
tes frères et tes soeurs? Aimerais-tu quitter le foyer?
C'est bien naturel à ton âge. Mais saurais-tu vraiment
te débrouiller? Tu voudrais, peut-être, avoir un
appartement à toi mais réussirais-tu à faire tout le
ménage? Essaie de faire le ménage pour une semaine
chez toi. Tu seras vite fatigué! As-tu déjà appris à
préparer les repas? Alors, essaie de les préparer pour
une semaine pendant les vacances. Mais d'abord tu
dois faire les courses. Tu rentres à la maison fatigué
après les courses mais tu dois maintenant commencer
à préparer un repas. Quelle vie!

    Si tu vivais seul, voici ce que tu devrais faire . . .
te lever sans être appelé
préparer ton petit déjeuner
préparer le déjeuner et le dîner
nettoyer la maison
ranger tes affaires
faire tout le ménage
faire la vaisselle chaque jour
faire la lessive
faire les courses
payer tous les frais du ménage

New words

le foyer home
se débrouiller to look after oneself/to manage
vivre to live
nettoyer to clean
faire la lessive to do the washing (clothes)
les frais cost/expenses

Le manque d'argent

Tous les jeunes gens se disputent avec leurs parents
de temps en temps. On se dispute au sujet des
vêtements, des chambres en désordre, des heures où il
faut rentrer, de l'argent de poche, des émissions de
télévision, etc. Beaucoup d'enfants ont envie de
quitter le foyer car ils pensent que leurs parents ne les
comprennent pas.
    Pour les jeunes gens le manque d'argent est un
grand problème. Pour résoudre ce problème, pas mal
d'écoliers cherchent un travail payé le weekend ou
même pendant la semaine. Il y en a qui livrent les
journaux du matin ou du soir. Ceux-ci doivent se lever
tôt le matin ou sortir après une journée fatigante à
l'école. Il y en a qui font du babysitting mais si on le
fait pendant la semaine on pourrait être très fatigué le
lendemain à l'école.
    Les écoliers qui ont seize ans ont souvent un
travail de samedi. Les jeunes filles peuvent travailler
comme caissières dans les supermarchés ou comme
serveuses dans les cafés. Les garçons aussi peuvent
travailler dans les supermarchés mais ils préfèrent
souvent travailler comme pompistes dans une station-
service. Très peu de jeunes gens aiment travailler
dans la maison ou dans le jardin. Pourquoi pas? Peut-
être parce que ce n'est pas un travail payé.

Unit 15 continued

New words

les jeunes gens   young people
l'argent de poche   pocket money
avoir envie de   to want
le manque   lack
résoudre   to resolve
pas mal   quite a lot
les écoliers   schoolchildren
livrer   to deliver
fatigant(e)   tiring
la caissière   checkout girl
la serveuse   waitress

New words

le chauffage central   central heating
un magnétoscope   video recorder
un barbecue au jardin   barbecue
un four à micro-ondes   micro-wave oven
un lave-vaisselle   dishwasher
un congélateur   freezer
un billard   billiard table
les doubles fenêtres   double glazing
un sauna   sauna
un court de tennis   tennis court
des domestiques pour faire le ménage!   servants
   to do the housework!
les rêves   dreams
une résidence secondaire   second home

La maison de vos rêves: une résidence secondaire

Si vous étiez millionnaire, auriez-vous une résidence
secondaire en France?
Vous auriez une piscine? Et aussi . . . ?

Activités

1 Learn all the new words and check Volume 1 Units 2 and 3 for other words on the topic of houses.

2 *Répondez en français.*

(a) Où se trouve l'appartement?
(b) Il est à vendre ou à acheter?
(c) Il y a combien de pièces dans l'appartement?
(d) Est-ce qu'il y a un garage?
(e) Où cherche-t-on un pavillon?
(f) À vendre ou à acheter?
(g) On cherche combien de pièces?
(h) Il y a combien de chambres dans la troisième maison?
(i) Qu'est-ce qu'il y a d'intéressant dans les salles de bains?
(j) Quelle maison préfères-tu?

3 You are describing your house to your French penfriend.

(a) Say what kind of house it is – bungalow, flat, semi-detached (**une maison jumelée**), etc.
(b) Say how many rooms there are.
(c) Say if there is a garden in front or behind the house, and whether it is large or small.
(d) Say if there is a garage and for how many cars.
(e) Say how many bedrooms and bathrooms there are.
(f) Say if there is a basement, ground-floor, and storeys above this.
(g) Describe your bedroom (big, little, furniture in it).
(h) Describe your sitting room/living-room and the furniture in it.
(i) Describe the kitchen and say whether it is a fitted kitchen.
(j) Say if you help your parents with the housework. (**aider à faire le ménage**)

4 You are asking your French penfriend about his/her house. How would you ask in French . . .

(a) Is your house big or small?
(b) Is it a flat or a bungalow?
(c) Is it in the town or country?
(d) Do you have a garage?
(e) Is there a garden?
(f) Do you help your parents with the housework?
(g) Do you help with the gardening?
(h) Do you wash the dishes?
(i) Do you clean (nettoyer) your room?
(j) Do you iron (repasser) your own clothes?

5 Write a letter to your French penfriend telling him/her about the things you have to do at home to help. Say which you prefer doing and which you don't like doing. Ask if he/she has to help to do the housework. Here are some more words to help you . . .

mettre le couvert   to lay the table
préparer les repas   to prepare meals
ranger tes affaires   to tidy away your belongings
faire la vaisselle   to wash up
faire les courses   to go shopping
passer l'aspirateur   to use the vacuum-cleaner
épousseter les meubles   to dust the furniture
Begin and end your letter in the usual way.

6 Learn all the new words in the passage. 'Si tu vivais seul'.

7 Rewrite the following sentences including the correct pronoun ('à' or 'de') where necessary.

(a) Sais-tu . . . préparer le petit déjeuner?
(b) Essaieras-tu . . . préparer le petit déjeuner demain?
(c) Tu aimes . . . préparer les repas?
(d) Tu aides ta mère . . . préparer les repas?
(e) Elle a commencé . . . préparer le dîner.
(f) Mon père a oublié . . . acheter des oeufs.
(g) Mon frère a décidé . . . sortir.
(h) Moi, je préfère . . . rester à la maison.
(i) J'espère . . . te voir demain.
(j) J'ai peur . . . être en retard.

8 Now say what the completed sentences mean in English.

9 Explain to your friend, who does not understand French, the list of things you would have to do if you lived alone.

10 Express in French.

(a) He is afraid of being late.
(b) I have decided to clean my room.
(c) I prefer going out.
(d) I must do my homework this evening.
(e) I need to buy a new pen.
(f) My father wants to buy a new house.
(g) My mother prefers to stay here.
(h) I am learning to swim.
(i) My sister can (knows how to) swim already.
(j) My brother has succeeded in learning to swim.

11 Tu trouves facile de . . . ?
   Tu trouves difficile de . . . ?
   Tu trouves impossible de . . . ?
   Which of the following do you find easy/difficult/impossible to do?
   e.g.   te lever de bonne heure
          Je trouve facile de me lever de bonne heure.
   or   Je trouve difficile de me lever de bonne heure.
   or   Je trouve impossible de me lever de bonne heure.

(a) te lever sans être appelé
(b) préparer les repas
(c) nettoyer la maison
(d) ranger tes affaires
(e) faire le ménage
(f) faire la vaisselle
(g) faire la lessive
(h) faire les courses
(i) payer tous les frais du ménage
(j) te débrouiller

Activités continued

12 Your parents have given you permission to redecorate your room. Here are some of the things that you might want to do . . .

repeindre* les murs   repaint the walls
tapisser les murs   paper the walls
accrocher des tableaux   hang pictures
afficher des posters   stick up posters
choisir de nouveaux rideaux   choose new curtains

*see extra verb section on p. 87.

and here are some of the colours you might want to choose . . .

blanc/blanche   white
bleu   blue
jaune   yellow
noir   black
orange   orange
pourpre   purple
rose   pink
rouge   red
vert   green

Now write a letter to your French penfriend telling him/her about your room as it is now and what you are going to do to redecorate it and in what colours. Ask him/her to tell you about his/her room. Begin and end in the usual way.

13 Learn the new words in 'Le manque d'argent'.

14 Answer the following questions in English.

(a) What are the five things mentioned which often cause arguments between children and parents?
(b) Why do some children want to leave home?
(c) What is a big problem for young people?
(d) How do some schoolchildren try to overcome this problem?
(e) What disadvantages are there to having a paper-round?
(f) What disadvantage is there to babysitting?
(g) How old do you have to be to have a Saturday job according to the passage?
(h) What kind of jobs do girls often do?
(i) What do the boys prefer?
(j) Which jobs do neither boys nor girls like doing?

15 *Répondez en français.*

(a) Tu te disputes avec tes parents? A quels sujets?
(b) Tu te disputes souvent avec tes frères ou tes soeurs? A quels sujets?
(c) Tu te disputes avec eux à propos des émissions de télévision? A propos de quelles émissions?
(d) Tu as envie de quitter le foyer?
(e) Où irais-tu?
(f) Tes parents te comprennent?
(g) Tu manques* d'argent?
(h) Tu as du travail payé pendant la semaine?
(i) (Si oui) que fais-tu?
(j) Tu préfères faire le ménage ou du jardinage?

*manquer   to lack

16 From the list of 'luxuries' in 'La maison de vos rêves' choose the ten which you would like to have and rewrite them in French in order of preference.

17 Here are some reasons why you might choose the 'luxuries' above . . .
Je déteste faire le ménage, moi-même.
J'aime manger au jardin en été.
J'aime jouer au tennis.
Je m'intéresse au billard.
J'aime voir les vidéos de mes groupes préférés.
J'aime prendre des bains.
Ça chauffe* la maison.
On peut préparer des repas rapides.
On ferait la vaisselle une fois par jour.
On peut y garder des produits surgelés*.
Ça empêcherait* des courants d'air.

*chauffer   to heat
des produits surgelés   frozen food
empêcher   to prevent

Now give your reasons in French for your choice of 'luxuries' above, in the order in which you have chosen them.
e.g.   Je voudrais avoir des domestiques pour faire le ménage car je déteste faire le ménage moi-même.

Revision Test

Can you remember the French for the following . . .

the sideboard	the cooker
the bath	the shower
the w.c./cloakroom	the spin-dryer
the armchair	the fridge
the bedside table	the front door

Check Volume 1 Unit 3 if you are unsure of the above words.

Unit 16

L'orientation scolaire et professionnelle

School careers' guidance

This unit covers:
(1) general revision;
(2) emphasis on important points for the future;
(3) should I choose French as one of my subjects next year?
(4) what job prospects?

L'enseignement français

Here is a simplified outline of the French system of education . . .

Âge	École		Description
2–6	École Maternelle		Volontaire
6–11	École Primaire		Scolarité obligatoire dès l'âge de 6 ans
11–15	École Secondaire/CES/CEG 6e 5e 4e 3e		Premier cycle
	Orientation Scolaire et Professionnelle		
15–18	Lycée 2nde 1re Classes Terminales (Bacca- lauréat)	CET 2nde 1re (Brevet d'études profession- nelles)	Second cycle
18→	Université	—	—

Attendance at school is compulsory in France from the age of 6 to 16. During this time the progress of pupils is monitored and advice is given at various important stages when choices of subjects and courses have to be made. One of the most important stages at which choices have to be made occurs towards the end of the fourth year in secondary school. The guidance given at this stage is called 'L'orientation scolaire et professionnelle', and leads into the next stage of secondary education which is called the 'second cycle'. Pupils often change school at this point according to which options they have chosen or been advised to take.

New words

l'enseignement education
une école maternelle nursery school
volontaire voluntary
la scolarité obligatoire compulsory schooling
CES Collège d'Enseignement Secondaire (Comprehensive school)
CEG Collège d'Enseignement Général (also Comprehensive school)
CET Collège d'Enseignement Technique (Technical school)
le brevet d'études professionnelles School-leaving certificate

You too are probably now at the stage where you have to make some important choices concerning your future school career. You should listen carefully to the advice which will be given to you in school. The decisions you make now will affect you for the rest of your life, so choose wisely. Remember that French will be of value and interest to you, especially if you have proven ability in the subject . . . more about this later!

Les materières obligatoires

En seconde, première et terminale il y a plusieurs matières obligatoires dans les écoles françaises—français, mathématiques, instruction physique, histoire, géographie, une langue vivante, instruction civique, sciences physiques (en seconde et terminale) et philosophie (en terminale). Les élèves français doivent présenter généralement huit ou neuf matières au baccalauréat.

New words

l'instruction physique PE
une langue vivante a modern language
présenter to sit (a subject in an exam)

Les langues vivantes

La plupart des élèves français étudient l'anglais comme première langue vivante. Ceux qui habitent près de la frontière de l'Allemagne, de l'Espagne ou de l'Italie étudient souvent l'allemand, l'espagnol ou l'italien comme première langue vivante. Beaucoup d'élèves français étudient une deuxième langue vivante à partir de* la quátrième.

****à partir de** from

Unit 16 continued

Job prospects

One of the most important decisions you will have to make in the near future, will be whether or not to continue studying French at school. It is undeniable that French will be of value to you as will a knowledge of other modern languages. It may be that you have already decided to continue studying French, but if not, you should seriously consider doing so.

Whatever career you hope to have, a knowledge of French can only improve your prospects. In all walks of life, future employers look very favourably on those candidates who have qualifications in modern languages.

Here are some of the jobs where languages will be of use to you . . .

Banking
Catering
Commerce
Hotel Management
Information Science
Journalism
Law*
Librarianship
Politics
Publishing
Secretarial work
Teaching
Tourism
as well as such specialized jobs as . . .
Interpreting
Translation

*Courses are now available at some Universities for qualifications in British and European Law.

La famille Gavarin

Monsieur Gavarin est fonctionnaire et sa femme est ménagère. Céline voudrait devenir infirmière. Et Marc? In ne sait pas encore. Il travaille bien à l'ecole parce que ses parents le veulent mais il a toujours peur des examens. Si un élève rate un examen, il doit quelquefois redoubler sa classe – c'est-à-dire rester dans la même classe pour encore un an. Alors les élèves français doivent travailler dur.

Et toi? Tu passeras des examens bientôt? Si tu réussis à ton examen de français, continueras-tu à l'étudier l'année prochaine? J'espère que oui. Le français est très important pour toutes sortes d'emplois et surtout pour les vacances en France. As-tu déjà passé des vacances en France? Es-tu allé(e) à Paris? Si tu continues à étudier le français, tu profiteras mieux de tes vacances en France. Peut-être deviendras-tu professeur de français?

New words

fonctionnaire   civil servant
passer un examen   to take an exam
rater un examen   to fail an exam
redoubler sa classe   to stay in the same class (for another year)
c'est-à-dire   that is to say
dur   hard
bientôt   soon
un emploi   job

Here are some more French jobs . . .
businessman/woman   **un homme (une femme) d'affaires**
building contractor   **un entrepreneur**
commercial traveller   **un commis-voyageur**
engineer   **un ingénieur**
journalist   **un(e) journaliste**
librarian   **un(e) bibliothécaire**
musician   **un(e) musicien(ne)**
politician   **un homme (une femme) politique**
secretary   **un(e) secrétaire**
solicitor   **un avoué**

Activités

1   Learn the new words and abbreviations.

2   (a)   Make a list in French of the subjects which you study at the moment in order of preference. Check Volume 2 Unit 22, if you need to revise these.
    (b)   Here are some more subjects which you may be able to study next year . . .

commerce   **le commerce**
computer science   **l'informatique**
drama   **les arts dramatiques**
dressmaking   **la couture**
economics   **l'économie politique**
home economics   **les études ménagères**
metalwork   **le travail de métal**
shorthand/typing   **la sténodactylographie**
sociology   **la sociologie**
woodwork   **le travail du bois**

Now make a list in French of the subjects you would like to study next year in order of preference.

3 *Répondez en français.*

(a) Où se trouve ton école?

(b) Comment vas-tu à l'école?

(c) Ton premier cours commence à quelle heure?

(d) Quelle est ta matière préférée?

(e) Tu aimes les langues?*

(f) Quelles langues parles-tu?

(g) Tu vas continuer tes études françaises l'année prochaine?

(h) Tu espères aller à l'université?

(i) Tu veux être professeur?

(j) Tu voudrais étudier en France?

****les langues** languages

4 (a) Explain to your friend in English the information given in 'Les matières obligatoires' about subjects studied in France in forms 5 and 6.
(b) The 'Baccalauréat' exam is taken by pupils who are in their final year at school at the age of 18. How many subjects do they have to sit in this exam?
(c) Tell your French friend (in French) which subjects you hope to study in forms 4 and 5 and then which subjects you hope to study in form 6.
(d) Tell him/her which subjects are compulsory and how many subjects you will sit for GCSE and A level (use the same titles as in English for the names of the exams).

5 (a) Explain to your friend in English the information in 'Les langues vivantes'.
(b) Now tell your French friend (in French) which modern languages you study and which you hope to study later.

6 Answer the following questions by choosing which answer you think is the most appropriate.

(a) What is Madame Gavarin's job?
  (i) She is a civil servant.
  (ii) She is a housewife.
  (iii) She is a nurse.
  (iv) She is a secretary.

(b) What does Marc wish to become?
  (i) A doctor.
  (ii) An engineer.
  (iii) A civil servant.
  (iv) He doesn't know yet.

(c) What is his attitude to exams?
  (i) He is afraid of them.
  (ii) He doesn't care about them.
  (iii) He thinks that they are not important.
  (iv) He thinks he will have to repeat them.

(d) Why is it important to learn French?
  (i) To please your parents
  (ii) To please your teachers
  (iii) To improve your job prospects
  (iv) To stay on at school

(e) What is a knowledge of French especially useful for?
  (i) Holidays in France
  (ii) Going to university
  (iii) Meeting other people
  (iv) Teaching foreigners

7 Throughout the three volumes of *Foundation Skills: French* you have learnt the names of many different jobs in French. Can you remember the French for the following . . . ?

the butcher	the baker
the doctor	the dentist
the chemist	the teacher
the farmer	the policeman
the air-hostess	the customs officer
the waiter	the check-out girl
the deputy head	the youth hostel warden
the hairdresser	the petrol-pump attendant
the mechanic	the grocer
the postman	the mayor

8 *Qui est-ce?*
Can you name the following people?
e.g. La femme du fermier.
     C'est la fermière.

(a) Le chef d'une école primaire.

(b) Le chef d'une école secondaire.

(c) Celui qui soigne les malades.

(d) Celle qui aide le médecin.

(e) Celui qui conduit une auto.

(f) Celui qui fait la vaisselle au restaurant.

(g) Celui qui distribue les lettres

(h) Celle qui vend des choses au magasin.

(i) Celui qui surveille les élèves à l'école.

(j) Celui qui surveille les gens qui nagent au bord de la mer.

The answers to the above are amongst the following. Can you find them?

le dentiste	le médecin	le garçon
le directeur	la caissière	le conducteur
le proviseur	le plongeur	le facteur
le maître-nageur	la vendeuse	l'agent de police
le professeur	l'infirmière	le surveillant

Revision Tests

Having worked through the three volumes of *Foundation Skills: French*, you have now learned some of the most important basic elements which you will need for further study of the language. If you have learnt thoroughly and practised carefully, you should now have acquired certain basic skills which will be of value to you when going to France, even if you are not going on to study French at a higher level.

To check how much you have absorbed from the three volumes, do the following revision tests. If you find difficulty with any section, go back to the relevant units in Volumes 1, 2, 3 and relearn the parts which are 'rusty'.

1 The present tense.
Write out the full present tense of:
avoir être aller faire pouvoir finir
se lever devoir acheter prendre

2 Complete the following sentences with the correct part of the present tense.
(a) Tu (vouloir) aller en ville?
(b) Elles (connaître) mes parents.
(c) Je (préférer) rester à la maison.
(d) Quel âge (avoir)-elle?
(e) Où (habiter)-vous?
(f) Nous (mettre) nos meilleurs habits.
(g) Il (rendre) visite à ses grands-parents.
(h) Elle (se brosser) les cheveux.
(i) J' (envoyer) des cartes postales.
(j) Tu (écrire) beaucoup de lettres?

3 Now say what the sentences in Revision Test 2 mean in English.

4 The future tense.
Write out the full future tense of:
aller faire être savoir envoyer
pouvoir vouloir voir venir finir

5 Complete the following sentences with the correct part of the future tense.
(a) Nous (aller) en ville.
(b) Il (arriver) à six heures.
(c) Tu (devoir) te dépêcher.
(d) Je (lire) mon journal.
(e) Elle (réussir).
(f) Ils (attendre).
(g) Vous (faire) vos devoirs ce soir.
(h) Elles (se coucher) tard.
(i) Je (louer) une tente.
(j) Tu (se mettre) en colère.

6 Now say what the sentences in Revision Test 5 mean in English.

7 The imperfect tense.
Write out the full imperfect tense of:
être faire choisir vouloir avoir

8 Complete the following sentences with the correct part of the imperfect tense.
(a) Il (faire) beau.
(b) Il (neiger).
(c) Nous (manger) au restaurant.
(d) Vous (être) en vacances.
(e) J'(aller) en ville.
(f) Elles (venir) tous les samedis.
(g) Tu (se réveiller) de bonne heure.
(h) Ils (nager) à la piscine.
(i) Nous (rendre) visite à nos grands-parents.
(j) Elle (préférer) voyager en avion.

9 Now say what the completed sentences in Revision Test 8 mean in English.

10 Write out the full perfect tense of:
aller   se dépêcher   venir   vouloir
devoir   regarder   finir   voir
acheter   se coucher

11 Complete the following sentences with the correct part of the perfect tense.

(a) Je (arriver) à la gare à huit heures.
(b) Nous (sortir) à dix heures.
(c) Elle (décider) de rester à la maison.
(d) Ils (rester) trois semaines.
(e) Tu (faire) ton piano?
(f) Elles (recevoir) beaucoup de cadeaux.
(g) Vous (s'amuser)?
(h) Il (comprendre).
(i) Nous (choisir) la nouvelle voiture.
(j) Elle (téléphoner) à ses copines.

12 Now say what the completed sentences in Revision Test 11 mean in English.

13 Write out the full conditional test of:
vouloir   aller

14 Complete the following sentences with the correct part of the conditional tense.

(a) Qu'est-ce que nous (faire)?
(b) Tu (être) content.
(c) Vous (pouvoir) regarder la télévision.
(d) Ils (attendre).
(e) Je (voir) mes copains.

15 Now say what the completed sentences in Revision Test 14 mean in English.

16 Express the following in French.
(a) How do I get to the station, please?
(b) Take the first street on the left.
(c) At what time does the bank open, please?
(d) I would like two coffees, please.
(e) Is the service charge included?
(f) At what time does the bus leave?
(g) Is it a through train?
(h) How much is it, please?
(i) A single room with a shower.
(j) I have nothing to declare.

17 Now explain what the following mean in English.
(a) Vous allez jusqu'au rond-point, puis tournez à gauche.
(b) Il faut faire attention, il y a du verglas.
(c) Tu as mal au dos?
(d) Vous voulez une carte de la région?
(e) N'oubliez pas de composter.
(f) Traversez sur le passage clouté.
(g) Nous sommes en retard.
(h) Il a dû redoubler.
(i) Mon frère vient d'arriver de Paris.
(j) Il y habite depuis trois ans.

18 (a) Name ten objects in French which you might find in a house.
(b) Name ten objects in French which you might find in a school.
(c) Name ten objects in French which you might find in a supermarket.
(d) Name ten things in French which you might find at the seaside.
(e) Name in French ten shops.

For those of you who are going on to study French at GCSE level, you will find Letts *Revise French* an invaluable companion book.

Answers

Unit 1

2 (a) Oui je suis sportif (sportive).
Non, je ne suis pas sportif (sportive).
(b) Je joue au tennis, etc.
(c) Oui, je joue au tennis.
(Non, je ne joue pas au tennis.)
(d) Oui, je joue au cricket.
(Non, je ne joue pas au cricket).
(e) Oui, je sais nager.
(Non, je ne sais pas nager.)
(f) Oui, je sais faire de la planche à voile.
Non, je ne sais pas faire de la planche à voile.
(g) Oui, j'aime l'équitation.
(Non, je n'aime pas l'équitation.)
(h) Oui, j'aime nager.
(Non, je n'aime pas nager.)
(i) Oui, je pratique le ski-nautique.
(Non, je ne pratique pas le ski-nautique.)
(j) Oui, je fais de la voile.
(Non, je ne fais pas de la voile.)

3 (a) Tu es sportif (sportive)?
(b) Que joues-tu en été?
(c) Tu joues aux boules?
(d) Sais-tu nager?
(e) Tu fais de l'équitation?
(f) Tu fais de la voile?
(g) Sais-tu faire du ski-nautique?
(h) Sais-tu faire de la planche à voile?
(i) Tu aimes le cyclisme?
(j) Tu aimes le tennis?

4 (a) There are plenty of fish and plenty of good spots for fishing.
(b) There are lots of good, clear yet varying places for underwater fishing.
(c) There is sailing instruction for beginners, for advanced students and for cruising.
(d) Along the coast.

5 (a) J'adore le jogging.
(b) J'aime l'équitation.
(c) Je suis amateur de la planche à voile.
(d) Je m'intéresse à la voile.
(e) Je déteste le cricket.
(f) Je ne peux pas supporter l'athlétisme.
(g) Je suis amateur de tennis.
(h) J'adore le surfing.
(i) Je déteste l'aérobic.
(j) J'aime la natation.

8 (a) Il voulait jouer au tennis.
(b) Nous faisions du ski-nautique.
(c) Elle disait des bêtises.
(d) Je pouvais faire de l'équitation.
(e) Nous étions en vacances.
(f) Ils venaient à la piscine tous les samedis.
(g) Tu avais des choses à déclarer?
(h) Elles écrivaient des cartes postales.
(i) Vous alliez souvent au stade municipal?
(j) Je me dépêchais pour rentrer de l'école.

9 (a) He was wanting (wanted) to play tennis.
(b) We were water-skiing.
(c) She used to say stupid things.
(d) I was able to go horse-riding.
(e) We were on holiday.
(f) They used to come to the swimming-pool every Saturday.
(g) You had some things to declare?
(h) They used to write postcards.
(i) Did they often go to the sports' ground?
(j) I was hurrying to get home from school.

10 (a) It was fine.
(b) I was on holiday.
(c) The sun was shining.
(d) We were waiting in front of the sports' centre.
(e) My friend was holding a squash racket.
(f) My brothers were going to play football.
(g) My sisters were resting.
(h) You were able to go wind-surfing.
(i) They preferred to go horse-riding.
(j) I wanted to go sailing.

11 (a) Quand j'étais en vacances l'année dernière, je jouais aux boules.
(b) Quand j'étais en vacances l'année dernière, je jouais au cricket.
(c) Quand j'étais en vacances l'année dernière, je faisais du cyclisme.
(d) Quand j'étais en vacances l'année dernière, je faisais de l'équitation.
(e) Quand j'étais en vacances l'année dernière, je faisais de la planche à voile.
(f) Quand j'étais en vacances l'année dernière, je pratiquais le ski-nautique.
(g) Quand j'étais en vacances l'année dernière, je pratiquais l'athlétisme.
(h) Quand j'étais en vacances l'année dernière, je me reposais.
(i) Quand j'étais en vacances l'année dernière, je faisais de la voile.
(j) Quand j'étais en vacances l'année dernière, je nageais.

12 (a) Je me levais à . . .
(b) Je me couchais à . . .
(c) e.g. Je jouais au tennis.
(d) e.g. Je faisais de la voile.
(e) e.g. Je sortais avec mes amis.
(f) Oui, je m'amusais bien.
(g) Oui, il faisait beau tous les jours.
(h) Oui, il, faisait chaud.
(i) Oui, je jouais avec mes copains.
(j) Non, je sortais tous les jours.

13 (a) (iii)
   (b) (i)
   (c) (ii)
   (d) (iv)
   (e) (iii)
   (f) (ii)
   (g) (iv)
   (h) (iv)

14 (a) My friend Laurent was drawing on the desk.
   (b) I was looking out of the window.
   (c) The pupils behind me were chatting.
   (d) The girls were not listening to the teacher.
   (e) No one was paying attention.
   (f) My friends were eating sweets.
   (g) The pupil in front of me was listening to his transistor.
   (h) Some pupils were singing.
   (i) No one was working.
   (j) Everybody was being rowdy.

15 (a) Des garçons regardaient par la fenêtre.
   (b) Personne ne regardait le professeur.
   (c) Les filles bavardaient.
   (d) Mon ami mangeait des bonbons.
   (e) Le garçon devant moi chantait.
   (f) Les filles derrière moi faisaient du chahut.
   (g) La fille devant moi écrivait sur le pupitre.
   (h) Son amie criait.
   (i) Moi, je ne travaillais pas.
   (j) Mon ami écoutait son transistor.

Unit 2

1 (a) (ii)
  (b) (iv)
  (c) (i)
  (d) (iii)
  (e) (ii)
  (f) (i)
  (g) (iv)
  (h) (i)
  (i) (iii)
  (j) (ii)

2 (a) Oui, j'aime voyager en avion./Non, je n'aime pas voyager en avion.
  (b) Non, je ne voyage pas souvent en avion./Oui, je voyage souvent en avion.
  (c) Je suis allé(e) à . . . (for towns).
      Je suis allé(e) en . . . (for countries).
  (d) Non, je n'avais pas le mal de l'air/Oui, j'avais le mal de l'air.
  (e) Oui, je veux être pilote/hôtesse de l'air.
      Non, je ne veux pas être pilote/hôtesse de l'air.
  (f) Oui, il y a un aéroport près de chez moi./Non, il n'y a pas d'aéroport près de chez moi.
  (g) Non, elle n'aime pas voyager en avion./Oui, elle aime voyager en avion.
  (h) Oui, elle préfère voyager en voiture./Non, elle ne préfère pas voyager en voiture.
  (i) Oui, je préfère le train./Non, je ne préfère pas le train.
  (j) Parce qu'il est plus confortable./Parce que l'avion est plus rapide.

3 (a) L'avion **que** tu vois part à onze heures.
  (b) Voilà les valises **que** je cherche.
  (c) Donne-moi la valise **qui** est là.
  (d) Les passagers **que** nous attendons sont arrivés.
  (e) On appelle les passagers **qui** sont dans la salle d'attente.
  (f) Marc regarde l'avion **qui** est sur la piste.
  (g) L'avion **que** Marc regarde est sur la piste.
  (h) L'hôtesse de l'air **qui** est devant l'avion est très jolie.
  (i) Le pilote **qui** descend de l'avion est mon frère.
  (j) Les billets **que** tu cherches sont dans ta poche.

4 (a) The plane which you see leaves at eleven o'clock.
  (b) There are the suitcases that I am looking for.
  (c) Give me the suitcase which is there.
  (d) The passengers for whom we are waiting have arrived.
  (e) They are calling the passengers who are in the waiting lounge.
  (f) Marc is looking at the plane which is on the runway.
  (g) The plane that Marc is looking at is on the runway.
  (h) The air-hostess who is in front of the plane is very pretty.
  (i) The pilot who is getting off the plane is my brother.
  (j) The tickets that you are looking for are in your pocket.

5 (a) C'est quelque chose dont j'ai peur.
  (b) C'est quelque chose dont nous avons besoin.
  (c) Tu as vu le film dont on a parlé?
  (d) C'est une jeune fille dont les parents sont riches.
  (e) Ce sont des choses dont on ne parle jamais.

  (a) It's something that I am afraid of.
  (b) It's something that we need.
  (c) Have you seen the film that they are talking about?
  (d) She is a young girl whose parents are rich.
  (e) They are things one never speaks of.

6 (a) Bonjour, mademoiselle.
  (b) Y a-t-il des vols pour Nice demain?
  (c) Je veux partir l'après-midi.
  (d) Le vol est à quelle heure, s'il vous plaît?
  (e) Il arrive à quelle heure à Nice?
  (f) C'est combien le billet?
  (g) Merci, mademoiselle.

7 (a) Pardon, mademoiselle.
  (b) Où est la place dix-neuf B, s'il vous plaît?
  (c) Je peux mettre mon sac à côté de moi?
  (d) On arrive à Strasbourg à quelle heure s'il vous plaît?
  (e) Merci, mademoiselle.

8 (a) Fasten your seat belts.
  (b) Put out your cigarettes.
  (c) Would you like something to drink?
  (d) Are you air-sick?
  (e) Is it the first time that you have flown?

9 (a) Bonjour, je m'appelle . . .
  (b) Où vas-tu (allez-vous) en Angleterre?
  (c) Moi, j'habite . . .
  (d) Je viens de passer trois semaines à Bordeaux chez mon (ma) correspondant(e) français(e).
  (e) J'ai passé des vacances merveilleuses.

98

10 (a) Ils vont monter dans l'avion.
(b) C'est l'hôtesse de l'air.
(c) Il y a les valises des passagers.
(d) Non, c'est un avion français.
(e) Il a laissé tomber deux bouteilles de cognac.
(f) Ils rient.
(g) Il y a huit voyageurs.
(h) Non, il pleure.
(i) Un monsieur va monter le premier dans l'avion.
(j) Non, il fait beau.

11 (a) On the 6th of May.
(b) On the 9th of May.
(c) For August.
(d) For two weeks.
(e) By plane.
(f) From Paris to London.
(g) It is quicker than by train.
(h) This will be his first visit.

12 (a) Merci de ta lettre.
(b) Je serai à l'aéroport pour te rencontrer.
(c) Quel jour vas-tu arriver?
(d) Ton vol arrive à Heathrow à quelle heure?
(e) Tu as déjà voyagé en avion?
(f) Amitiés . . .

13 (a) Je te remercie de ta gentille lettre.
(b) Je suis très content(e) d'accepter ton invitation de passer deux semaines chez toi en juillet.
(c) Je peux prendre l'avion de Londres à . . .
(d) J'attends avec plaisir mon premier séjour en France.
(e) En attendant te lire . . .

14 (a) Oui, il y a un aéroport à Toulouse.
(b) Oui, il y a un vol direct entre Toulouse et Paris.
(c) Non, il n'y a pas de vol direct entre Grenoble et Nice.
(d) Non il n'y a pas de vole direct entre Strasbourg et La Rochelle.
(e) Oui, il y a un aéroport à Bastia.

15 (a) Il y a un aéroport à Biarritz?
(b) Il y a un vol direct de Biarritz à Marseille?
(c) Il y a un vol direct de Paris à Clermont-Ferrand?
(d) Il y a un aéroport en Corse?
(e) Il y a un vol direct de Bastia à Lyon?

Unit 3

1 (a) J'ai passé les vacances de Noël l'année dernière chez moi. (Other alternatives possible, e.g. chez des amis/à . . . .)
(b) Je vais passer les vacances de Noël cette année . . . . (Various answers possible as in (a) above.)
(c) Oui, j'ai déjà fait du ski. Non, je n'ai jamais fait de ski.
(d) J'ai fait du ski à . . .
(e) Il faisait froid.
(f) J'ai joué avec mes amis. (Various answers possible.)
(g) Oui, j'aime faire de la luge./Non, je n'aime pas faire de la luge.
(h) Oui, je sais patiner./Non, je ne sais pas patiner.
(i) Je joue dans la neige.
(j) Je préfère rester à l'hôtel.

2 (a) (i)
(b) (iii)
(c) (iv)
(d) (i)
(e) (iv)
(f) (ii)
(g) (iv)
(h) (iii)
(i) (iv)
(j) (ii)

3 (a) Each one must hire skis.
(b) Each one is going to take the ski-lift.
(c) Each pupil took the ski-lift.
(d) Each bedroom has a sea-view.
(e) Each hotel has a swimming-pool.
(f) Each one has a restaurant.
(g) Each bedroom has a telephone.
(h) Each one has a bathroom.
(i) We went out each day.
(j) We go there each weekend.

4 (a) Chaque chambre a une douche.
(b) Chacune a une télévision.
(c) Chaque élève sait faire du ski.
(d) Chacun sait patiner.
(e) Chaque professeur sait nager.
(f) Chacun veut faire de la luge.
(g) Chaque fille a un nouvel ensemble-ski.
(h) Nous avons fait du ski chaque jour.
(i) Ils ont patiné chaque après-midi.
(j) Chacun est tombé.

5 (a) Quelqu'un est tombé de la luge.
(b) Quelques-uns sont tombés de la luge.
(c) Quelques élèves sont tombés de la luge.
(d) Quelques professeurs ont fait du ski.
(e) Quelqu'un s'est cassé la jambe.
(f) Quelques-uns se sont cassé la jambe.
(g) Quelques élèves se sont cassé la jambe.
(h) Quelques enfants se sont foulé la cheville.
(i) Quelque chose est arrivé en vacances.
(j) On a transporté quelques élèves à l'hôpital.

6 (a) Quelques élèves.
(b) Quelque chose.
(c) Quelques-uns ont fait du ski.
(d) Quelques-uns ont patiné.
(e) Quelques garçons ont fait de la luge.
(f) Quelques professeurs sont restés à l'hôtel.
(g) Quelqu'un s'est cassé la jambe.
(h) Quelqu'un est allé a' l'hôpital.
(i) Quelques filles avaient peur.
(j) Quelqu'un a cassé le télésiège.

7 (a) Ils vont faire du ski.
   Il neige.
   C'est en hiver.
   Non, il n'y a pas de télésiège.

   (b) Ils font du ski.
   Il est tombé.
   Non, il ne sait pas bien faire du ski.
   Oui, il s'est fait mal.

   (c) Oui, c'est un accident grave.
   On a appelé les ambulanciers.
   Ils transportent le garçon à l'hôpital.
   Il neige.

   (d) Il est à l'hôtel.
   Il regarde ses amis.
   Ils font du ski.
   Non, il n'est pas content.

8 e.g. Samedi dernier je suis allé faire du ski avec mes
   amis. Il faisait froid et il neigeait. Pierre et moi, nous
   avons commencé à faire du ski quand, tout à coup, je
   suis tombé. Je me suis fait mal à la jambe. Je ne
   pouvais pas marcher. Pierre est allé appeler une
   ambulance. Quand les ambulanciers sont arrivés, ils
   ont décidé de me transporter à l'hôpital car ils ont dit
   que je me suis cassé la jambe. Alors j'ai dû rester à
   l'hôtel. J'ai regardé mes amis par la fenêtre de ma
   chambre. J'étais malheureux.

9 (a) In London.
   (b) For a few days.
   (c) At the end of December.
   (d) Two.
   (e) He wants two rooms, each with a shower and W.C.
   (f) He wants to know the price of the rooms.
   (g) The hotel can offer two rooms with a bath.
   (h) From the 29th of December to the 5th of January.
   (i) 190 francs.
   (j) Breakfast is included.

10   *Londres, le 9 octobre*
   Monsieur,
   *Nous comptons passer une semaine à Chamonix à la
   fin de février. Il nous faut deux chambres, une chambre à
   deux lits et une chambre à un lit avec douche. Voulez-
   vous m'indiquer votre tarif pour les chambres? En
   attendant votre réponse . . . .*

11   *Londres, le 20 octobre*
   Monsieur,
   *J'accuse réception de votre lettre du . . . . Je voudrais
   confirmer que je prendrai la chambre à deux lits et la
   chambre à un lit avec douche que vous m'avez proposées,
   du 22 février au 1 mars.*
   Veuillez agréer, Monsieur . . . .

12 (a) Bonjour, mademoiselle.
   (b) Je m'appelle . . . .
   (c) Je vous ai écrit pour réserver deux chambres, une
       chambre à deux lits et une chambre à un lit avec
       douche.
   (d) Les chambres sont à quel étage?
   (e) Le petit déjeuner est à quelle heure?
   (f) Merci, mademoiselle.

13 (a) Quelqu'un s'est cassé la jambe.
   (b) Quelqu'un s'est cassé le bras.
   (c) Quelqu'un est tombé sur la glace.
   (d) Quelqu'un est tombé du télésiège.

Unit 4

1 (a) Oui, il y a un garage près de chez moi.
   Non, il n'a pas de garage près de chez moi.
   (b) Il se trouve à . . . kilomètres de chez moi.
   (c) Oui, il sait dépanner la voiture.
   Non, il ne sait pas dépanner la voiture.
   (d) Non, je ne sais pas dépanner la voiture.
   (e) Oui, elle sait dépanner la voiture.
   Non, elle ne sait pas dépanner la voiture.
   (f) Oui, elle sait changer la roue de secours.
   Non, elle ne sait pas changer la roue de secours.
   (g) Oui, j'ai été en panne.
   Non, je n'ai jamais été en panne.
   (h) Je suis resté avec mes parents dans la voiture.
   (i) Mon père a téléphoné au garage.
   (j) Oui, on a remorqué la voiture.

2 (a) Nous chercherons un garage.
   (b) Il arrivera au garage à une heure.
   (c) Le mécanicien fera les réparations.
   (d) Je retournerai à cinq heures.
   (e) Nous attendrons une demi-heure.
   (f) Vous attendrez le mécanicien?
   (g) Ils finiront les réparations.
   (h) Elle indiquera le pneu crevé.
   (i) Il remorquera la voiture.
   (j) Le moteur ne marchera pas.

3 (a) We will look for a garage.
   (b) He will arrive at the garage at one o'clock.
   (c) The mechanic will do the repairs.
   (d) I will return at five o'clock.
   (e) We will wait half an hour.
   (f) Will you wait for the mechanic?
   (g) They will finish the repairs.
   (h) She will point out the punctured tyre.
   (i) He will tow the car.
   (j) The engine won't go.

4 (a) J'arriverai à huit heures.
   (b) Elle arrivera à onze heures.
   (c) Il finira à quatre heures.
   (d) Vous finirez à midi.
   (e) Vous finirez à six heures.
   (f) Il retournera à dix heures.
   (g) Je retournerai à deux heures.
   (h) Vous attendrez une heure.
   (i) J'attendrai une demi-heure.
   (j) Vous prendrez la voiture à sept heures.

5 (a) Je finirai à sept heures.
   (b) Je regarderai la télévision.
   (c) Je prendrai l'autobus.
   (d) Vous arriverez quand?
   (e) Ils arriveront quand?
   (f) Vous attendrez? (Tu attendras?)
   (g) Vous jouerez au tennis demain? Tu joueras au
       tennis demain?
   (h) Je chercherai mon père.
   (i) Il finira bientôt.
   (j) Elle choisira une nouvelle voiture.

6 (a) (ii)
   (b) (iii)
   (c) (i)
   (d) (iv)
   (e) (i)
   (f) (iii)
   (g) (i)
   (h) (iv)
   (i) (i)
   (j) (ii)

7 (a) Allô. Le garage Châteauneuf?
   (b) La voiture de mes parents est tombée en panne à trois kilomètres de Rouen sur la route de Dieppe.
   (c) Vous pouvez venir nous aider?
   (d) Nous resterons avec la voiture. C'est une Ford.
   (e) Vous arriverez quand? Merci, monsieur.

8 (a) Oui, j'ai fait le plein d'essence ce matin.
   (b) Oui, je les ai verifiées ce matin.
   (c) Oui, je l'ai verifiée hier.
   (d) Nous avons fait cent kilomètres aujourd'hui.
   (e) C'est grave?
   (f) Vous pouvez la dépanner?
   (g) Je suis pressé. (Nous sommes pressés.)
   (h) Ça coûtera combien?

9 (a) Il y a un garage à deux kilomètres d'ici.
   (b) Il y a une cabine téléphonique au village.
   (c) Il y a un café aussi au village.
   (d) Non, il ne faut pas avertir la police.
   (e) Je regrette, mais je ne sais pas.

10 Samedi dernier je suis allé(e) à la campagne avec ma famille, mais la voiture est tombée en panne. Il faisait chaud et nous nous sommes promenés au village pour téléphoner au garage. Un mécanicien est arrivé bientôt et mon père l'a aidé à dépanner la voiture. Toute la famille était fatiguée. Nous sommes rentrés à la maison à cinq heures.

Unit 5

2 (a) Nous viendrons jeudi.
   (b) Je viendrai lundi.
   (c) Il pleuvra demain.
   (d) Vous aurez chaud.
   (e) Elles feront une promenade.
   (f) Tu iras avec elle.
   (g) Vous pourrez rester dix jours.
   (h) Ils voudront aller avec vous.
   (i) Je verrai mes amis bientôt.
   (j) Tu seras en retard.

3 (a) We will come on Thursday.
   (b) I shall come on Monday.
   (c) It will rain tomorrow.
   (d) You will be warm.
   (e) They will go for a walk.
   (f) You will go with her.
   (g) You will be able to stay for ten days.
   (h) They will want to go with you.
   (i) I will see my friends soon.
   (j) You will be late.

4 (a) Je serai en retard.
   (b) Elle viendra dimanche.
   (c) Ils pourront rester une semaine.
   (d) Tu auras froid.
   (e) Nous ferons une promenade.
   (f) Vous verrez mon professeur.
   (g) Il ira au cinéma samedi.
   (h) J'irai en ville.
   (i) Tu viendras aussi?
   (j) Je serai à la maison ce soir.

5 (a) Je viendrai à l'aéroport jeudi prochain.
   (b) Mes parents seront avec moi.
   (c) Nous attendrons dans le hall de l'aéroport.
   (d) Nous pourrons t'aider avec les bagages.
   (e) Nous arriverons à la maison à sept heures.
   (f) Nous pourrons nager.
   (g) Nous irons à Londres.
   (h) Tu rencontreras mes amis.
   (i) Nous aurons une boum.
   (j) Il y aura beaucoup à faire.

6 You will be able to get to know my friends. We will go and meet them at the local café/bar. In France there are bars in every village. You can drink coffee and non-alcoholic drinks there at any time of day. Adults can also buy alcoholic drinks. At the café/bar we'll talk or play table-football (it's like a game of football which is played on a table). We'll have a coca-cola or lemon squash. You will be able to buy postcards at the café/bar to send to your family . . .

7 (a) He found a café/bar.
   (b) In the main street.
   (c) He asks if there is a telephone.
   (d) To the left on the counter.
   (e) He will need a disc.
   (f) He orders a whisky.
   (g) He sits at a table.
   (h) He buys cigarettes.
   (i) A coffee is included in the bill.
   (j) He says that it is another man's bill.

8 (a) Bonjour, monsieur.
   (b) Vous avez un téléphone ici?
   (c) Je pourrai téléphoner?
   (d) Où est le téléphone?
   (e) Un jeton, s'il vous plaît.
   (f) Merci, monsieur.

9 (a) Je prendrai un café, s'il vous plaît.
   (b) Nous prendrons deux citrons pressés, s'il vous plaît.
   (c) Nous prendrons deux cafés crème, s'il vous plaît.
   (d) Je prendrai un coca, s'il vous plaît.
   (e) Je prendrai un chocolat, s'il vous plaît.

10 (a) Garçon, il y a erreur.
   (b) Ici c'est marqué deux cafés.
   (c) J'ai pris un café, un sandwich et une glace.

11 (a) This mistake is in the total. The total should be 23F 45.
(b) Garçon, il y a erreur.
(c) Vous avez mal calculé.
(d) Vingt-deux francs et un franc quarante-cinq font vingt-trois francs quarante-cinq.
(e) Voulez-vous vérifier l'addition?

12 (a) Il se trouve à Paris.
(b) Sur la rive droite.
(c) Il y a une banque à côté du bar.
(d) Il y a un hôtel en face.
(e) Il y a un parcmètre.

13 (a) Vanilla, lemon, chocolate, strawberry, raspberry, cherry.
(b) A single cornet.
(c) Ice and fruit-juice.
(d) Between midday and half-past two and from seven o'clock onwards.
(e) No.
(f) Today's speciality.
(g) People in a hurry.
(h) A snack.
(i) A toasted ham and cheese sandwich.
(j) A self-service snack-bar.

14 (a) Trois cocas, s'il vous plaît.
(b) Un cornet simple au chocolat et un cornet double à la vanille et à la fraise, s'il vous plaît.
(c) Deux plats du jour, s'il vous plaît.
(d) Où faut-il payer, s'il vous plaît?

15 un disque

Unit 6

2 (a) (iii)
(b) (i)
(c) (iv)
(d) (i)
(e) (iii)
(f) (ii)
(g) (iv)
(h) (i)
(i) (iv)
(j) (iii)

3 (a) Do not serve yourself
(b) 7 francs 50 a dozen
(c) Poultry
(d) Children's trousers
(e) Pullovers: Girls and boys

4 (a) Je jetterai le ballon
(b) Ils achèteront des bonbons.
(c) Elle appellera le marchand.
(d) Vous vous promènerez?
(e) Tu enverras des cartes postales?
(f) Nous achèterons des chaussures.
(g) Tu jetteras le ballon?
(h) J'enverrai une lettre à ma tante.
(i) Il achètera des légumes au marché.
(j) Nous nous promènerons.

5 (a) I will throw the ball.
(b) They will buy some sweets.
(c) She will call the shopkeeper.
(d) Will you go for a walk?
(e) Will you send some postcards?
(f) We shall buy some shoes.
(g) Will you throw the ball?
(h) I shall send a letter to my aunt.
(i) He will buy some vegetables at the market.
(j) We shall go for a walk.

6 (a) Je vais jeter le ballon.
(b) Ils vont acheter des bonbons.
(c) Elle va appeler le marchand.
(d) Vous allez vous promener?
(e) Tu vas envoyer des cartes postales?
(f) Nous allons acheter des chaussures.
(g) Tu vas jeter le ballon?
(h) Je vais envoyer une lettre à ma tante.
(i) Il va acheter des légumes au marché.
(j) Nous allons nous promener.

7 Possible answers:
(a) S'il pleut demain, je resterai à la maison.
(b) S'il fait beau dimanche, je me promènerai.
(c) S'il pleut dimanche, je resterai à la maison.
(d) S'il fait beau samedi, je jouerai au tennis.
(e) S'il pleut samedi, j'irai en ville.

8 Possible answers:
(a) Oui, il y a un marché le samedi.
(b) Un jour par semaine.
(c) Oui, j'y vais.
(d) J'achète des légumes et des fruits.
(e) Je préfère acheter des vêtements.
(f) J'achèterai des bonbons.
(g) Elle achètera des légumes.
(h) Il achètera des fruits.
(i) Je préfère l'hypermarché.
(j) J'achèterai des provisions.

10 (a) On peut acheter des fruits.
(b) Ils sont délicieux.
(c) Pour savoir s'ils sont bien mûrs.
(d) Ce sont eux qui vont payer.
(e) Non, on y verra autant d'hommes que de femmes.

11 Je voudrais trois melons.
Je voudrais un demi-kilo de raisins.
Je voudrais un kilo de pêches.
C'est tout merci. Je vous dois combien?

12 Je cherche un pantalon.
Quatre-vingts.
En brun/noir ou blanc.
Je prendrai ce pantalon. C'est combien?

Je cherche des baskets.
Trente-huit.
Je peux les essayer?
Oui, ils vont bien. C'est combien?
Je les prendrai.

13 ÉGLISE (PARKING)   parking place near the church
PTT   Post Office.
P   parking

Unit 7

2 **(a)** In a block of flats near the shopping centre of Valréas.
(b) In the town hall.
(c) Sixty.
(d) At the town hall
(e) A tricolour sash.
(f) They will go to church.
(g) Wedding celebration meal.
(h) There will be singing and dancing.
(i) New outfits.
(j) Win the national lottery.

3 **(a)** Oui, j'ai assisté à un mariage.
Non, je n'ai pas assisté à un mariage.
(b) Oui, j'aime assister à des mariages.
Non, je n'aime pas assister à des mariages.
(c) Oui j'ai un frère marié./Non, je n'ai pas de frère marié.
(d) Oui, j'ai une soeur mariée./Non, je n'ai pas de soeur mariée.
(e) Oui, j'ai un cousin marié./Non, je n'ai pas de cousin marié.
(f) Non, ce n'est pas le maire qui marie les couples en Grande-Bretagne.
(g) On offre les deux.
(h) On boit généralement du champagne.
(i) Oui, j'aime le champagne./Non, je n'aime pas le champagne.
(j) Oui, j'en bois souvent./Non, je n'en bois pas souvent.

4 **(a)** J'ai bu du champagne.
(b) Ils ont bu du vin.
(c) Elle buvait du café.
(d) Nous boirons du thé.
(e) Vous buvez du whisky?
(f) Il boit de l'eau minérale.
(g) Je boirai du vin quand j'aurai dix-sept ans.
(h) Tu buvais un citron pressé?
(i) Ils buvaient du chocolat.
(j) Vous avez bu trop de vin.

5 **(a)** I have drunk champagne.
(b) They drank wine.
(c) She was drinking coffee.
(d) We shall drink some tea.
(e) Are you drinking whisky?
(f) He is drinking mineral water.
(g) I shall drink wine when I am seventeen.
(h) Were you drinking lemon squash?
(i) They were drinking hot chocolate.
(j) You have drunk too much wine.

6 **(a)** Xavier Didier and Paulette Lasnet.
(b) In Rouen.
(c) On 23 July.

7 **(a)** Je vais expliquer à ma mère ce dont j'ai besoin.
(b) J'ai dépensé trop d'argent – ce qui arrive toujours.
(c) Je veux savoir ce qu'il a dit.
(d) Savez-vous ce que je veux faire?
(e) Avez-vous entendu ce qui est arrivé?

9 **(a)** Yes.
(b) Go to midnight mass.
(c) They have a special big meal.
(d) Their shoes.
(e) New Year's Day.
(f) They eat a special cake.
(g) He/she is proclaimed 'king'.
(h) To bring good luck.
(i) 14 July.
(j) In the south-west.

10 **(a)** On va à l'église.
(b) On mange un grand repas spécial.
(c) Le père Noël.
(d) Le 6 janvier.
(e) Une galette.
(f) On y met une fève.
(g) Non, c'est une fête religieuse.
(h) Non, c'est une fête civile.
(i) En dix-sept cent quatre-vingt-neuf.
(j) On danse sur la place.

11 **(a)** Je vais à l'eglise./Je me couche de bonne heure/etc.
(b) Non, j'y mets un bas.
(c) Oui, je fête le Jour de l'An chez moi.
Non, je fête le Jour de l'An chez . . .
(d) Oui, j'envoie des cartes de nouvel an.
Non, je n'envoie pas de cartes de nouvel an.
(e) Oui, je reçois des cartes de nouvel an.
Non, je ne reçois pas de cartes de nouvel an.
(f) Je reste à la maison/Je vais chez . . ./etc.
(g) Je reste à la maison./Je vais chez . . ./etc.
(h) C'est la fête de Guy Fawkes.
(i) Oui, je la célèbre avec des feux d'artifice.
(j) Ma fête préférée, c'est . . .

12 **(a)** Que fais-tu la veille du Jour de l'An?
(b) Tu envoies des cartes de Noël?
(c) Tu reçois des cartes de Noël?
(d) Tu aimes les mariages?
(e) Quelle est ta fête préférée?

14 *Chère Natalie,*
Permets-moi de te souhaiter un très joyeux Noël ainsi qu'une très bonne année. J'espère que cette carte te trouvera en excellente forme.
Meilleurs souvenirs,
. . .

15 **(a)** Bon anniversaire!
(b) Bonne année!
(c) Joyeux Noël!
(d) Félicitations!
(e) Meilleurs voeux!/Meilleurs souvenirs!

16 *Chère Anne-Marie,*
J'ai été très heureux (heureuse) de recevoir ton faire-part. Je t'adresse toutes mes félicitations et je te souhaite tout le bonheur possible. J'espère que tu m'enverras une photo de ton mariage.
Mes parents se joignent à moi pour t'adresser tous nos voeux de bonheur.

17 *Chère Anne-Marie,*
Je te remercie beaucoup de la photo de ton mariage. Ta robe et les fleurs sont très jolies. Les enfants sont charmants. C'est ton neveu? Et ta nièce? J'attends avec plaisir les voir en été.
Meilleurs souvenirs . . .

Unit 8

1 (a) Je voudrais aller au cinéma.
  (b) Nous aimerions vous voir.
  (c) Ils pourraient venir lundi.
  (d) Tu ferais du ski.
  (e) Il serait content de les voir.
  (f) Que feriez-vous si vous étiez riche?
  (g) S'ils venaient demain, tu les verrais.
  (h) S'il pleuvait demain, je resterais à la maison.
  (i) Elle viendrait, s'il faisait beau.
  (j) Elles iraient avec toi.

2 (a) I would like to go to the cinema.
  (b) We should like to see you.
  (c) They could come on Monday.
  (d) You could go skiing.
  (e) He would be happy to see them.
  (f) What would you do if you were rich?
  (g) If they came tomorrow, you would see them.
  (h) If it were to rain tomorrow, I should stay at home.
  (i) She would come, if it were fine.
  (j) They would go with you.

3 (a) In Paris, we would be able to enjoy ourselves even if the weather was bad.
  (b) You would enjoy yourself in the country.
  (c) There would be a lot to see.
  (d) But in town there would be amusements.
  (e) I would go to the shops every day.

4 (a) Si tu venais samedi, nous irions en ville.
  (b) Si tu arrivais à six heures, je te rencontrerais.
  (c) Si tu étais malade, j'appellerais le médecin.
  (d) Nous irions au cinéma.
  (e) Tu pourrais rester chez moi.

5 (a) Nous pourrions aller à la piscine.
  (b) Nous pourrions faire des achats en ville.
  (c) Nous pourrions aller à la plage.
  (d) Nous pourrions faire de l'équitation.
  (e) Nous pourrions jouer au badminton.
  (f) Tu voudrais faire du ski nautique?
  (g) Tu voudrais faire de la voile?
  (h) Tu voudrais faire de la planche à voile?
  (i) Tu voudrais aller à la disco?
  (j) Tu voudrais aller à une boum?

6 (a) e.g. J'achèterais un avion.
  (b) J'irais chez le médecin.
  (c) Ils diraient 'Pourquoi rentres-tu à cette heure-ci?'
  (d) e.g. J'achèterais beaucoup de vêtements.
  (e) Je les porterais au poste de police.

8 (a) (iii)
  (b) (iv)
  (c) (i)
  (d) (iv)
  (e) (ii)
  (f) (i)
  (g) (iv)
  (h) (ii)
  (i) (iii)
  (j) (ii)

9 *Mon cher (Ma chère) . . .*
  Je t'écris pour t'inviter à une boum chez moi jeudi prochain. Nous serons une vingtaine. Tu peux inviter un(e) ami(e) si tu veux. Viens vers sept heures. J'espère que tu viendras.

10 *Mon cher (Ma chère) . . .*
  Merci bien de ta gentille invitation. J'aimerais beaucoup venir à ta boum vendredi soir. Je l'attends avec impatience.

11 *Mon cher (ma chère) . . .*
  Je te remercie beaucoup de l'invitation à ta boum lundi prochain. Je regrette mais je ne pourrai pas venir parce que je serai à Londres en vacances avec mes parents.
  Cela m'ennuie beaucoup de refuser mais je te souhaite une bonne soirée.

12 Deux jours avant la boum elle devrait téléphoner à Michel et à Colette. Elle devrait acheter de quoi manger et de quoi boire. Elle devrait enregistrer des chansons et ranger les disques.
  Le jour de la boum elle devrait enlever des meubles et décorer le salon. Elle devrait préparer la nourriture. Puis elle devrait se baigner et se laver les cheveux. Enfin elle devrait s'habiller.

13 J'ai déjà téléphoné à Michel. Maintenant je dois téléphoner à Colette.
  J'ai déjà acheté de quoi manger. Maintenant je dois acheter de quoi boire.
  J'ai déjà enregistré des chansons. Maintenant je dois ranger les disques.
  J'ai déjà enlevé des meubles. Maintenant de dois décorer le salon.
  J'ai déjà préparé la nourriture. Maintenant je dois me baigner.

14 **Verb revision**
  Il y aurait une boum chez Marie-France. Elle voulait inviter quinze filles et quinze garçons mais ses parents ont dit que ce serait trop. Thérèse ne pouvait pas venir car elle devrait accompagner ses parents à Paris. Elle a dit que c'était casse-pieds. Elle savait que tous ses amis seraient là. Si elle rentrait tôt de Paris, elle pourrait peut-être venir à la boum vers dix heures du soir. Mais ses parents n'étaient pas d'accord.

Unit 9

2 **(a)** La France est un des plus beaux pays du monde.
(b) Oui je suis déjà allé(e) en France.
Non, je ne suis jamais allé(e) en France.
(c) Je suis allé(e) . . .
(d) Oui, j'aime la France.
(e) e.g. Rouen se trouve dans le nord de la France.
(f) e.g. Nancy se trouve à l'est de la France.
(g) Elles s'appellent les Pyrénées.
(h) Elles s'appellent les Alpes.
(i) Elles s'appellent les Alpes.
(j) Oui, j'ai fait du ski en France.
Non, je n'ai pas fait du ski en France.

3 **(a)** Calais est le port le plus proche de l'Angleterre.
(b) Elle s'appelle la Manche.
(c) La France est la plus grande.
(d) La France est la plus grande.
(e) Elle s'appelle la Corse.
(f) La Loire est le fleuve le plus long de la France.
(g) Paris est la capitale de la France.
(h) . . . (e.g. La Bretagne) est la plus belle région de la France.
(i) . . . (e.g. Le Midi) a le meilleur climat.
(j) Je préfère le nord de la France./Je préfère le sud de la France.

4 **(a)** The shape of France is roughly that of a hexagon.
(a) e.g. Lille
(b) e.g. Bordeaux
(c) e.g. Clermont-Ferrand
(d) e.g. Nice
(e) e.g. Brest
(f) e.g. La Bretagne
(g) e.g. L'Aquitaine
(h) e.g. La Lorraine
(i) e.g. La Côte d'Azur
(j) e.g. L'Auvergne

5 **(a)** La famille anglaise est allée en France au mois d'août.
(b) Non, c'était leur première visite.
(c) Ils sont déjà allés en Suisse et en Italie.
(d) Ils ont pensé que la Suisse est très belle mais qu'elle est plus chère que l'Italie.
(e) Ils ont trouvé l'Italie moins chère que la Suisse.
(f) Parce qu'il apprend le français à l'école.
(g) Il espère devenir professeur de français.
(h) Il travaille dans un grand hôpital à Londres.
(i) Il voulait voyager par le train.
(j) Parce que le train va plus vite que la voiture.
(k) Elle voulait voyager en voiture.
(l) Parce qu'elle préfère voyager lentement.
(m) La famille a acheté une grande carte de la France.
(n) Il préférait le Midi.
(o) Elle préférait la Bretagne.
(p) Je préfère . . .
(q) La famille a pris le bateau à Southampton.
(r) La famille est arrivée au Havre.
(s) Ils les ont cherchés dans le Michelin Rouge.
(t) Ils les ont cherchées dans les Guides Verts.

6 **(a)** Non, il n'y a pas de piscine au centre-ville.
(b) Il se trouve dans la rue Massenet.
(c) Trois églises sont marquées sur le schéma.
(d) Non, il se trouve au centre-ville.
(e) Oui, il y a un hôpital à Valréas.

7 **(a)** On arrivera vite en scooter mais on arrivera plus vite en train.
(b) Je préfère voyager lentement mais ma mère préfère voyager plus lentement.
(c) On peut s'amuser bien à la maison, mais on peut s'amuser mieux au bord de la mer.
(d) Le professeur a crié fort mais le proviseur a crié plus fort.
(e) Je l'ai fait facilement mais Michel l'a fait plus facilement.

8 **(a)** We/you will get there quickly by scooter but we/you will get there quicker by train.
(b) I prefer travelling slowly but my mother prefers travelling more slowly.
(c) We/you can enjoy ourselves/yourselves well at home but we/you can enjoy ourselves/yourselves better at the seaside.
(d) The teacher shouted loudly but the headmaster shouted louder.
(e) I did it easily but Michel did it more easily.

9 **(a)** Pierre crie plus fort que Michel.
(b) Pierre travaille aussi bien que Michel.
(c) Pierre joue mieux que Michel.
(d) Michel marche aussie vite que Pierre.
(e) Michel ne parle pas si lentement que Pierre.

10 **(a)** Il court le plus vite.
(b) Vous jouez le mieux.
(c) Elle chante le mieux.
(d) Elles crient le plus fort.
(e) Tu marches le plus lentement.

11 **(a)** Marseille se trouve à cent quatre-vingt-treize kilomètres de Loriol.
(b) Marseille se trouve à quatre-vingt-huit kilomètres d'Avignon.
(c) Avignon se trouve à cent quatre-vingt-dix-huit kilomètres de Vienne.
(d) Cavaillon se trouve à soixante-cinq kilomètres de Bollène.
(e) Sénas se trouve à quatre-vingt-dix-sept kilomètres de Montélimar (Sud).

Unit 10

1 (a) Il est parti en vacances avec son copain Frédéric et les parents de Frédéric.
(b) Ils sont allés à la côte atlantique.
(c) Ils y sont allés en voiture.
(d) Ils se sont arrêtés à des auberges de jeunesse.
(e) Ils ont porté seulement des vêtements.
(f) Ils ont loué des sacs de couchage et des couvertures.
(g) Ils ne préparent jamais les repas.
(h) Oui, on peut louer des places à l'avance.
(i) Oui, il y avait des places libres à cette auberge de jeunesse.
(j) Il lui a demandé de remplir une fiche.

2 (a) Oui, je suis déjà resté(e) dans une auberge de jeunesse.
Non, je ne suis jamais resté(e) dans une auberge de jeunesse.
(b) Oui, je voudrais y aller avec des copains cette année.
Non, je ne voudrais pas y aller avec des copains cette année.
(c) Oui, mes parents aiment rester dans les auberges de jeunesse.
Non, mes parents n'aiment pas rester dans les auberges de jeunesse.
(d) Oui, j'ai mon propre sac de couchage.
Non, je n'ai pas mon propre sac de couchage.
(e) Oui, j'ai un sac à dos./Non, je n'ai pas de sac à dos.

3 (a) Bonjour monsieur. Avez-vous des lits pour ce soir?
(b) Nous sommes trois garçons.
(c) Nous voudrions louer des sacs de couchage.
(d) Où est le dortoir, s'il vous plaît?
(e) Le dîner est à quelle heure, s'il vous plaît?
(f) Mérci, monsieur.

4 (a) 10 francs/about 90p
(b) 16 francs/about £1.50p
(c) 8.50 francs/about 75p
(d) 28 francs/about £2.50
(e) 9.00 francs/about 80p

5 A (a) Je prendrai celle-ci.
(b) Je prendrai celui-ci.
(c) Je prendrai celle-ci.
(d) Je prendrai celui-ci.
(e) Je prendrai celui-ci.
B (a) Je prendrai celle-là.
(b) Je prendrai celui-là.
(c) Je prendrai celle-là.
(d) Je prendrai celui-là.
(e) Je prendrai celui-là.

6 (a) Lesquels?
(b) Lesquels?
(c) Lesquelles?
(d) Lequel?
(e) Laquelle?
(f) Laquelle?
(g) Lesquelles?
(h) Lesquels?
(i) Lesquelles?
(j) Lequel?

8 Join the French Youth Hostel Association.
The individual membership card of the French Youth Hostel Association is international. It is valid from the first of January to the thirty-first of December.
However, this card, sent out each year from the first of October, can be used from that date until the thirty-first of December the following year. So, a young person joining for the first time will benefit from a card which is valid for fifteen months instead of twelve months!

9 (a) Yes
(b) Yes
(c) The Garonne.
(d) Saintes.
(e) Aquitaine.

10 (a) Oui, il y a une auberge de jeunesse à Royan.
(b) Oui, il y a une auberge de jeunesse à Angoulême.
(c) Elle s'appelle la Dordogne.
(d) La Rochelle.
(e) L'Ile d'Oléron.

11 (a) Il y a une auberge de jeunesse à Agen?
(b) Il y a une auberge de jeunesse à Bergerac?
(c) Comment s'appelle la rivière à Angoulême?
(d) Quelle est l'auberge de jeunesse la plus proche d'Arcachon?
(e) Comment s'appelle l'île à l'ouest de La Rochelle?

12 (a) (46) 44.43.11
(b) 0.5 kilometres
(c) All year.
(d) 16
(e) Yes.

13 (a) 3 Rue de St-Amand, 87200 St-Junien.
(b) (quarante-cinq) quatre-vingt-douze /quarante-cinq/quatre-vingts
(c) quarante
(d) Oui, elle est ouverte toute l'année.
(e) à un kilomètre

14 (a) Quelle est l'adresse de l'auberge de jeunesse à Poitiers, s'il vous plaît?
(b) Quel est le numéro de téléphone de l'auberge de jeunesse à Saintes, s'il vous plaît?
(c) Combien de lits y a-t-il à l'auberge de jeunesse à Ruffec?
(d) L'auberge de jeunesse à La Rochelle est ouverte toute l'année?
(e) La gare de St Barthélemy-de-Bellegarde se trouve à combien de kilomètres de l'auberge de jeunesse?

106

Unit 11

2 (a) Il a déjà mis quatre assiettes.
  (b) Il a oublié de mettre les couteaux et les fourchettes.
  (c) Non, il n'a pas mis les serviettes.
  (d) Non, il n'a pas mis les verres.
  (e) Oui, je mets souvent le couvert pour ma famille.
    Non, je ne mets pas souvent le couvert pour ma famille.
  (f) Ma mère prépare les repas à la maison.
    Mon père prépare les repas à la maison. etc.
  (g) Oui, je sais faire la cuisine./Non, je ne sais pas faire la cuisine.
  (h) Oui, je fais la vaisselle après les repas.
    Non, je ne fais pas la vaisselle après les repas.
  (i) Oui, j'aime faire la vaisselle./Non, je n'aime pas faire la vaisselle.
  (j) Oui, j'aime manger./Non, je n'aime pas manger.

3 (a) Mets le couvert.
  (b) Tu as oublié les fourchettes.
  (c) Tu as oublié les assiettes.
  (d) Fais la vaisselle.
  (e) Je t'aiderai.

5 (a) At half past seven.
  (b) Bread, butter, jam or honey.
  (c) White coffee. Marc sometimes drinks chocolate and Céline and Madame Gavarin sometimes drink tea.
  (d) Lunch.
  (e) At midday.
  (f) Monsieur Gavarin drinks wine and the others drink mineral water.
  (g) At half-past five.
  (h) Bread roll with chocolate, fruit, yoghourt or biscuits.
  (i) About eight o'clock.
  (j) Soup.

6 (a) Je prends . . . repas chaque jour.
  (b) e.g. Le petit déjeuner, le déjeuner, le goûter et le souper.
  (c) Je prends le petit déjeuner à . . .
  (d) Je prends le déjeuner à . . . (time)
  (e) Je prends le déjeuner à . . . (place)
  (f) Oui, je prends le goûter après l'école.
    Non, je ne prends pas le goûter après l'école.
  (g) Généralement le soir je mange . . .
  (h) Le soir je mange à . . .
  (i) Après, je . . .
  (j) Mon repas favori est . . .

7 (a) Combien de repas prends-tu chaque jour?
  (b) Quel est ton repas favori?
  (c) Que prends-tu généralement pour le déjeuner?
  (d) Tu aimes le thé?
  (e) A quelle heure prends-tu le petit déjeuner?

8 Hier j'ai pris le petit déjeuner à . . .
  J'ai mangé . . .
  J'ai bu . . .
  J'ai pris le déjeuner à . . .
  J'ai mangé . . .
  J'ai bu . . .
  J'ai pris le goûter à . . .
  J'ai mangé . . .
  J'ai bu . . .
  J'ai pris le souper à . . .
  J'ai mangé . . .
  J'ai bu . . .

9 allant ayant faisant travaillant pouvant étant lisant écrivant sachant arrivant

10 (a) En entrant . . .
  (b) . . . en indiquant . . .
  (c) . . . en prenant . . .
  (d) En regardant . . .
  (e) En lisant . . .
  (f) . . . en choisissant . . .
  (g) En buvant . . .
  (h) En payant . . .
  (i) . . . en rougissant.
  (j) En quittant . . .

11 (a) On going into the restaurant, we saw our friends.
  (b) The waiter said, 'Good morning, ladies and gentlemen', showing us a free table.
  (c) We began our meal by having an aperitif
  (d) Looking at the menu, I noticed the high prices.
  (e) Reading the menu, I saw my favourite dish.
  (f) I began my meal by choosing a raw vegetable salad.
  (g) While drinking mineral water, I swallowed a piece of glass.
  (h) On paying the bill, my father noticed a mistake.
  (i) The waiter apologized, blushing.
  (j) On leaving the restaurant, we said 'goodbye' to our friends.

12 (a) Je préfère le . . .
  (b) Je préfère les . . .
  (c) Je préfère . . .
  (d) J'aimerais mieux . . .
  (e) J'aimerais mieux . . .
  (f) Oui, j'ai soif./Non, je n'ai pas soif.
  (g) Oui, j'ai faim./Non, je n'ai pas faim.
  (h) Oui, je voudrais déjeuner en ville.
    Non, je ne voudrais pas déjeuner en ville.
  (i) Oui, je voudrais rester à la maison.
    Non, je ne voudrais pas rester à la maison.
  (j) Oui, il me faut aller à l'alimentation.
    Non, il ne me faut pas aller à l'alimentation.

13 (a) Je préfère le café.
  (b) Je préfère les biscuits.
  (c) Je préfère le citron pressé.
  (d) J'ai soif.
  (e) J'ai grand'faim.
  (f) Je voudrais déjeuner à la maison.
  (g) J'ai besoin du pain./Il me fait du pain.
  (h) Je dois aller à la boulangerie.
    Il me faut aller à la boulangerie.
  (i) Je dois aller à la boucherie./Il me faut aller à la boucherie.
  (j) Je préfère le supermarché.

14 (a) Tu préfères le thé ou le café?
  (b) Tu préfères le pain ou le pain grillé?
  (c) Tu préfères des céréales en flocons ou un oeuf à la coque?
  (d) Tu préfères la confiture ou le miel?
  (e) Il te faut du sucre?
  (f) Il te faut du lait?
  (g) Tu voudrais du beurre?
  (h) Tu voudrais encore?
  (i) Tu as faim?
  (j) Tu as soif?

17 snails turkey veal leg of lamb
   soup salmon cheese duck
   liver pâté chicken

18 (a) (i)
   (b) (ii)
   (c) (iii)
   (d) (ii)
   (e) (i)

19 (a) Bonsoir, monsieur.
   (b) Une table pour quatre, s'il vous plaît.
   (c) Deux potages et deux hors-d'oeuvre.
   (d) Quatre steaks, un steak saignant, deux à point et un steak bien cuit, s'il vous plaît.
   (e) De l'eau minérale, s'il vous plaît.
   (f) Deux tartes aux fraises et deux glaces, s'il vous plaît.
   (g) L'addition, s'il vous plaît.
   (h) Merci monsieur et au revoir.

Unit 12

1 (a) (i)
   (b) (iii)
   (c) (iv)
   (d) (ii)
   (e) (iv)

2 (a) You must have your ticket punched/stamped.
   (b) They are named according to the name of the last station on the line.
   (c) Correspondance(s).
   (d) The name of the last station on the line on which you wish to travel.

3 (a) Oui, je suis déjà allé(e) à Paris.
       Non, je ne suis jamais allé(e) à Paris.
   (b) Je suis resté(e) à l'hôtel ...
   (c) Oui, j'ai fait des trajets en métro.
       Non, je n'ai pas fait de trajets en métro.
   (d) Oui, je me suis promené(e) à Paris.
       Non, je ne me suis pas promené(e) à Paris.
   (e) Je suis allé(e) ... (e.g. au Louvre, à la Tour Eiffel, etc.)

4 (a) J'apprends le français depuis ... ans.
   (b) J'apprends l'anglais depuis ... ans.
   (c) J'habite ma maison depuis ... ans.
   (d) Je suis dans cette salle depuis ... ans.
   (e) J'habite mon village/ma ville depuis ... ans.

5 (a) Ils étaient à Paris depuis deux semaines.
   (b) Nous sommes ici depuis deux heures.
   (c) J'étudie la biologie depuis trois ans.
   (d) J'attendais depuis trois heures.
   (e) Tu es ici depuis combien de temps?

6 (a) Il vient de sortir.
   (b) Elles viennent de partir.
   (c) Nous venons de faire des achats.
   (d) Je viens de rentrer.
   (e) Vous venez d'arriver?
   (f) Elles venaient de faire leurs devoirs.
   (g) Je venais de sortir.
   (h) Nous venions de descendre du train.
   (i) Il venait d'ouvrir la porte.
   (j) Ils venaient de se promener.

7 (a) He has just gone out.
   (b) They have just left.
   (c) We have just been shopping.
   (d) I have just returned (home).
   (e) Have you just arrived?
   (f) They had just done their homework.
   (g) I had just gone out.
   (h) We had just got off the train.
   (i) He had just opened the door.
   (j) They had just gone (been) for a walk.

9 Tickets not valid after this point
  Front of the train
  Back of the train
  No entry
  Automatic door. Do not try to go through, when closing.
  It is forbidden to get on a moving train.
  Punch your ticket. Keep it until you go out.
  Exit

10 Cher (Chère) ...
     Je viens d'arriver à Paris. Je reste à l'hôtel ....
   Demain je vais faire un trajet en métro.
     J'aime courir les magasins. J'espère faire une promenade en bateau-mouche ...
                    Amitiés ...
   P.S. Je suis à Paris maintenant depuis deux jours.
         Je m'amuse bien.

11 Pont de Neuilly.

12 Fort d'Aubervilliers
   Correspondance
   Porte de Clignancourt

13 (a) Pour aller à l'Étoile, s'il vous plaît?
   (b) Pour aller à Pigalle, s'il vous plaît?
   (c) Pour aller à l'Odéon, s'il vous plaît?
   (d) Pour aller à la Gare de Lyon, s'il vous plaît?
   (e) Pour aller au Louvre, s'il vous plaît?

14 (a) You must take the Pont de Neuilly direction.
   (b) You must take the Porte de la Chapelle direction.
   (c) You must take the Chatillon-Montrouge direction.
   (d) First you must take the Créteil-Prefecture direction, then change at the Bastille.
   (e) First of all you must take the Chatillon-Montrouge direction, then change at Concorde.

15 (a) At the Pont-Marie underground station at nine o'clock (evening).
   (b) At the Abbesses underground station at half-past two (afternoon).
   (c) At the Saint-Sulpice underground station at three o'clock (afternoon).

Unit 13

2 (a) (i)
  (b) (iii)
  (c) (iv)
  (d) (ii)
  (e) (i)
  (f) (iii)
  (g) (ii)
  (h) (i)

3 e.g. *Fame; Fanny and Alexander; Ryan's Daughter,* etc.

5 (a) Il avait regardé la télévision.
  (b) Nous étions allés au cinéma.
  (c) Ils avaient regardé Antenne 2.
  (d) Elle avait acheté *Télé 7 Jours.*
  (e) Vous vous étiez assis au balcon.
  (f) Le film avait commencé à neuf heures.
  (g) Nous étions sortis à onze heures et demie.
  (h) Tu avais regardé France Régions 3?
  (i) J'avais déjà vu ce film policier.
  (j) Elles avaient déjà acheté les billets.

6 (a) He had been watching television.
  (b) We had been to the cinema.
  (c) They had been watching Channel/Antenne 2.
  (d) She had bought *Télé 7 Jours.*
  (e) You had been sitting on the balcony.
  (f) The film had begun at nine o'clock.
  (g) We had gone out at half-past eleven.
  (h) You had been watching France Régions 3?
  (i) I had already seen that detective film.
  (j) They had already bought the tickets.

7 (a) J'étais allé(e) en ville.
  (b) J'avais manqué l'autobus.
  (c) J'avais perdu mon porte-monnaie.
  (d) J'avais dû rentrer à pied.
  (e) J'avais perdu ma clé.
  (f) Mes parents étaient sortis.
  (g) J'étais allé(e) chez un voisin pour téléphoner à mes parents.
  (h) Ils étaient sortis aussi.
  (i) J'avais décidé d'aller chez ma tante.
  (j) J'y avais pris le goûter.

8 (a) Oui, j'aime le cinéma./Non, je n'aime pas le cinéma.
  (b) Oui, je vais souvent au cinéma.
    Non, je ne vais pas souvent au cinéma.
  (c) Oui, j'aime les comédies./Non, je n'aime pas les comédies.
  (d) Oui, je préfère les films de science-fiction.
    Non, je ne préfère pas les films de science-fiction.
  (e) Oui, j'ai vu des films français.
    Non, je n'ai pas vu de films français.
  (f) Oui, je suis allé au cinéma en France.
    Non, je ne suis jamais allé au cinéma en France.
  (g) Je préfère . . .
  (h) Oui, je regarde la télévision chaque jour.
    Non, je ne regarde pas la télévision chaque jour.
  (i) Je regarde la télévision . . . heures par jour.
  (j) Oui, ils regardent souvent la télévision.
    Non, ils ne regardent pas souvent la télévision.

9 (a) Bonsoir, madame/mademoiselle.
  (b) Deux billets de balcon, s'il vous plaît.
  (c) C'est combien?
  (d) Le film a déjà commencé?
  (e) Il est sous-titré?
  (f) Merci, madame/mademoiselle.

10 (a) Oui, j'ai regardé la télévision hier soir.
    Non, je n'ai pas regardé la télévision hier soir.
  (b) J'ai vu . . .
  (c) Je préfère . . .
  (d) Je préfère . . .
  (e) Mon émission préférée, c'est . . .
  (f) Oui, j'ai vu des émissions en France.
    Non, je n'ai pas vu d'émissions en France.
  (g) Elle commence à onze heures trente.
  (h) Elle commence à huit heures.
  (i) Elle commence à dix-neuf heures.
  (j) Elle commence à vingt-deux heures cinquante-cinq.

11 (a) Yes
  (b) Channel 2
  (c) 18h 5
  (d) Channel 2
  (e) FR 3

12 (a) Qu'est-ce qu'il y a à la télévision à huit heures ce soir?
  (b) Qu'est-ce qu'il y a à la deuxième chaîne?
  (c) Qu'est-ce qu'il y a à la première chaîne ce soir?
  (d) Y a-t-il des jeux?
  (e) Y a-t-il un feuilleton?
  (f) Le journal, c'est à quelle heure?
  (g) Y a-t-il un dessin animé?
  (h) Y a-t-il un film?
  (i) L'émission finit à quelle heure?
  (j) Y a-t-il des westerns?

Unit 14

2 (a) Il neige.
  (b) Il y a des orages.
  (c) Il y a une tempête.
  (d) Il pleut.
  (e) Il pleut à verse.

3 (a) Demain il neigera.
  (b) Demain il y aura des orages.
  (c) Demain il y aura une tempête.
  (d) Demain il pleuvra.
  (e) Demain il pleuvra à verse.

4 (a) Hier il a neigé.
  (b) Hier il y a eu des orages.
  (c) Hier il y a eu une tempête.
  (d) Hier il a plu.
  (e) Hier il a plu à verse.

5 (a) S'il neige, je resterai à la maison.
  (b) S'il neigeait, je resterais à la maison.
  (c) S'il avait neigé, je serais resté(e) à la maison.
  (d) Nous aurions fait nos devoirs.
  (e) Vous aurez fini dans une heure.
  (f) Quand tu auras lu ce livre, prête-le-moi.
  (g) Quand elle sera arrivée, je te téléphonerai.
  (h) Ils auraient préféré rester à la maison.
  (i) Il serait resté à la côte méditerranée.
  (j) S'il avait fait beau, je serais allé(e) à la piscine.

6 (a) If it snows, I shall stay at home.
  (b) If it were to snow, I should stay at home.
  (c) If it had snowed, I should have stayed at home.
  (d) We would have done our homework.
  (e) You will have finished in an hour.
  (f) When you have read this book, lend it to me.
  (g) When she has arrived, I shall telephone you.
  (h) They would have preferred to stay at home.
  (i) He would have stayed on the Mediterranean coast.
  (j) If it had been fine, I would have gone to the swimming-pool.

7 (a) Il fait beau/Il pleut/etc.
  (b) Hier il a . . .
  (c) Demain il . . .
  (d) S'il fait beau demain, j'irai me promener/etc.
  (e) S'il avait fait beau hier, je serais allé(e) à la campagne/etc.
  (f) Je me serais promené(e).
  (g) Oui, je serais resté(e) à la maison.
      Non, je ne serais pas resté(e) à la maison.
  (h) Oui, je le prêterai à un(e) ami(e).
      Non, je ne le prêterai pas à un(e) ami(e).
  (i) Oui, je continuerai à étudier le français.
      Non, je ne continuerai pas à étudier le français.
  (j) Oui, je serai content(e) quand j'aurai quitté l'école.
      Non, je ne serai pas content(e) quand j'aurai quitté l'école.

9 (a) No.
  (b) It is cold and can sometimes snow.
  (c) It is fine and quite warm.
  (d) It is fine and warm, like the south coast of England.
  (e) There are sometimes storms.
  (f) The weather is still fine.
  (g) It often rains and is misty.
  (h) It's beginning to snow.
  (i) It's mild.
  (j) They are often blocked by snow.

10 (a) Il faut étudier la météo.
   (b) Oui, elle a un climat varié.
   (c) Il fait froid.
   (d) Il pleut souvent.
   (e) Il fait du vent.
   (f) Il fait chaud.
   (g) Il fait beau et chaud.
   (h) Il fait beau et chaud.
   (i) Il pleut de temps en temps et il fait frais le matin.
   (j) Il pleut souvent.

13 (a) Cloudy with rain, followed by scattered showers.
   (b) The weather will improve in the afternoon.
   (c) It will be cloudy with some rain and storms.
   (d) It will be very windy.
   (e) Rainy.

14 (a) Pour le trente et un juillet.
   (b) A treize heures.
   (c) Non, il ne fait pas beau temps partout.
   (d) Il pleut dans la région parisienne et ailleurs.
   (e) Non, il ne neige pas dans les Alpes.

15 (a) Non, il fait plus chaud à Marseille.
   (b) Oui il fait plus chaud à Nice.
   (c) Non, il fait aussi chaud à Dakar qu'à la Rochelle.
   (d) Marseille est l'endroit le plus chaud de la France.
   (e) Reggio, Calabria est l'endroit le plus chaud de l'Italie.

16 (a) Quel temps fera-t-il demain?
   (b) Il fera chaud?
   (c) Il pleuvra?
   (d) Il neigera?
   (e) Il y aura des orages?
   (f) Fait-il plus chaud à Nice qu'à Nancy?
   (g) Fait-il plus chaud à Paris qu'à Lille?
   (h) Fait-il plus chaud à Bordeaux qu'à Cherbourg?
   (i) Quel est l'endroit le plus chaud de la France?
   (j) Quel est l'endroit le plus froid de la France?

17 La pluie dans la région parisienne le matin sera suivie d'éclaircies. Le temps nuageux dans les Pyrénées s'étendra à l'ensemble du pays. Le vent soufflera fort dans la vallée du Rhône. Les températures maximales ne dépasseront guère dix-neuf degrés près des côtes de la Manche.

Unit 15

2 (a) Il se trouve à Paris.
   (b) Il est à vendre.
   (c) Il y a six pièces.
   (d) Non, il n'y a pas de garage.
   (e) Près de Rambouillet.
   (f) À acheter.
   (g) On cherche huit pièces et un sous-sol.
   (h) Il y en a quatre.
   (i) Il y a des double-vasques.
   (j) Je préfère . . .

4 (a) Ta maison est grande ou petite?
   (b) C'est un appartement ou un pavillon?
   (c) Elle est en ville ou à la campagne?
   (d) Tu as un garage?
   (e) Il y a un jardin?
   (f) Tu aides tes parents à faire le ménage?
   (g) Tu aides à faire le jardinage?
   (h) Tu fais la vaisselle?
   (i) Tu nettoies ta chambre?
   (j) Tu repasses tes vêtements?

7 (a) Sais-tu préparer le petit déjeuner?
   (b) Essaieras-tu de préparer le petit déjeuner demain?
   (c) Tu aimes préparer les repas?
   (d) Tu aides ta mère à préparer les repas?
   (e) Elle a commencé à préparer le dîner.
   (f) Mon père a oublié d'acheter des oeufs.
   (g) Mon frère a décidé de sortir.
   (h) Moi, je préfère rester à la maison.
   (i) J'espère te voir demain.
   (j) J'ai peur d'être en retard.

8 (a) Can you prepare breakfast?
   (b) Will you try to prepare breakfast tomorrow?
   (c) Do you like preparing meals?
   (d) Do you help your mother to prepare meals?
   (e) She began to prepare dinner.
   (f) My father forgot to buy eggs.
   (g) My brother decided to go out.
   (h) I prefer to stay at home.
   (i) I hope to see you tomorrow.
   (j) I'm afraid of being late.

9 Get up without being called.
   Prepare your breakfast.
   Prepare lunch and dinner.
   Clean the house.
   Tidy away your things.
   Do all the housework.
   Wash the dishes every day.
   Do the washing.
   Go shopping
   Pay all the household bills.

10 (a) Il a peur d'être en retard.
   (b) J'ai décidé de nettoyer ma chambre.
   (c) Je préfère sortir.
   (d) Je dois faire mes devoirs ce soir.
   (e) Je dois acheter un nouveau stylo.
   (f) Mon père veut acheter une nouvelle maison.
   (g) Ma mère préfère rester ici.
   (h) J'apprends à nager.
   (i) Ma soeur sait déjà nager.
   (j) Mon frère a réussi à apprendre à nager.

11 (a) Je trouve facile/difficile/impossible de me lever sans être appelé(e).
   (b) Je trouve facile/difficile/impossible de préparer les repas.
   (c) Je trouve facile/difficile/impossible de nettoyer la maison.
   (d) Je trouve facile/difficile/impossible de ranger mes affaires.
   (e) Je trouve facile/difficile/impossible de faire le ménage.
   (f) Je trouve facile/difficile/impossible de faire la vaisselle.
   (g) Je trouve facile/difficile/impossible de faire la lessive.
   (h) Je trouve facile/difficile/impossible de faire les courses.
   (i) Je trouve facile/difficile/impossible de payer tous les frais du ménage.
   (j) Je trouve facile/difficile/impossible de me débrouiller.

14 (a) Clothes, untidy bedrooms, the time they have to be in, pocket money, television programmes.
   (b) They think that their parents don't understand them.
   (c) Lack of money.
   (d) By getting a part-time job.
   (e) They have to get up early in the morning or go out after a tiring day in school.
   (f) It makes them tired at school the next day.
   (g) 16
   (h) Check-out girls at a supermarket or waitress.
   (i) Working as a petrol-pump attendant.
   (j) Housework and gardening.

15 (a) Oui, je me dispute avec mes parents au sujet de . . .
   (b) Oui, je me dispute avec . . . au sujet de . . .
   (c) Oui, je me dispute avec eux . . . à propos de . . .
   (d) Oui, j'ai envie de quitter le foyer.
      Non, je n'ai pas envie de quitter le foyer.
   (e) J'irais à/en . . .
   (f) Oui, mes parents me comprennent.
      Non, mes parents ne me comprennent pas.
   (g) Oui, je manque d'argent./Non, je ne manque pas d'argent.
      Je reçois . . . en argent de poche.
      Je ne reçois pas d'argent de poche.
   (h) Oui, j'ai du travail payé pendant la semaine.
      Non, je n'ai pas de travail payé pendant la semaine.
   (i) e.g. Je fais du babysitting/Je livre les journaux.
   (i) Je préfère faire . . .

Revision Test

le buffet	la cuisinière
la baignoire	la douche
le cabinet de toilette	l'essoreuse
le fauteuil	le frigo
le chevet	la porte d'entrée

Unit 16

3 (a) Mon école se trouve à . . .
(b) Je vais à l'école . . . (e.g. à pied, en autobus, etc.)
(c) Mon premier cours commence à . . .
(d) Ma matière préférée, c'est . . .
(e) Oui, j'aime les langues.
(f) Je parle . . .
(g) Oui, je vais continuer mes études françaises l'année prochaine.
(h) Oui, j'espère aller à l'université.
(i) Oui, je veux être professeur./Non, je ne veux pas être professeur.
(j) Oui, je voudrais étudier en France.

4 (a) In the fifth and sixth forms there are several compulsory subjects in French schools – French, maths, PE, history, geography, a modern language, civics, physical science (in forms 5 and 6) and philosophy (in form 6).
(b) French pupils must sit eight or nine subjects for the baccalauréat.

5 (a) Most French pupils study English as their first modern language. Those who live near the German, Spanish or Italian borders often study German, Spanish or Italian as their first modern language. Many French pupils study a second modern language from the third form onwards.

6 (a) (ii)
(b) (iv)
(c) (i)
(d) (iii)
(e) (i)

7

le boucher	le boulanger
le médecin	le dentiste
le pharmacien	le professeur
le fermier	l'agent de police
l'hôtesse de l'air	le douanier
le garçon	la caissière
le censeur	l'aubergiste
le coiffeur	le pompiste
le mécanicien	l'épicier
le facteur	le maire

8 (a) C'est le directeur.
(b) C'est le proviseur.
(c) C'est le médecin.
(d) C'est l'infirmière.
(e) C'est le conducteur.
(f) C'est le plongeur.
(g) C'est le facteur.
(h) C'est la vendeuse.
(i) C'est le surveillant.
(j) C'est le maître-nageur.

Revision Test 1

avoir	*être*	*aller*
j'ai	je suis	je vais
tu as	tu es	tu vas
il a	il est	il va
elle a	elle est	elle va
nous avons	nous sommes	nous allons
vous avez	vous êtes	vous allez
ils ont	ils sont	ils vont
elles ont	elles sont	elles vont

faire	*pouvoir*	*finir*
je fais	je peux	je finis
tu fais	tu peux	tu finis
il fait	il peut	il finit
elle fait	elle peut	elle finit
nous faisons	nous pouvons	nous finissons
vous faites	vous pouvez	vous finissez
ils font	ils peuvent	ils finissent
elles font	elles peuvent	elles finissent

se lever	*devoir*	*acheter*
je me lève	je dois	j'achète
tu te lèves	tu dois	tu achètes
il se lève	il doit	il achète
elle se lève	elle doit	elle achète
nous nous levons	nous devons	nous achetons
vous vous levez	vous devez	vous achetez
ils se lèvent	ils doivent	ils achètent
elles se lèvent	elles doivent	elles achètent

prendre
je prends
tu prends
il prend
elle prend
nous prenons
vous prenez
ils prennent
elles prennent

Revision Test 2

(a) Tu **veux** aller en ville?
(b) Elles **connaissent** mes parents.
(c) Je **préfère** rester à la maison.
(d) Quel âge **a-t-elle**?
(e) Où **habitez-vous**?
(f) Nous **mettons** nos meilleurs habits.
(g) Il **rend** visite à ses grands-parents.
(h) Elle se **brosse** les cheveux.
(i) J'**envoie** des cartes postales.
(j) Tu **écris** beaucoup de lettres.

Revision Test 3

(a) Do you want to go to town?
(b) They know my parents?
(c) I prefer to stay at home?
(d) How old is she?
(e) Where do you live?
(f) We put on our best clothes.
(g) He is visiting his grandparents.
(h) She is brushing her hair.
(i) I send postcards.
(j) Do you write a lot of letters?

Revision Test 4

aller	*faire*	*être*
j'irai	je ferai	je serai
tu iras	tu feras	tu seras
il ira	il fera	il sera
elle ira	elle fera	elle sera
nous irons	nous ferons	nous serons
vous irez	vous ferez	vous serez
ils iront	ils feront	ils seront
elles iront	elles feront	elles seront

savoir	*envoyer*	*pouvoir*
je saurai	j'enverrai	je pourrai
tu sauras	tu enverras	tu pourras
il saura	il enverra	il pourra
elle saura	elle enverra	elle pourra
nous saurons	nous enverrons	nous pourrons
vous saurez	vous enverrez	vous pourrez
ils sauront	ils enverront	ils pourront
elles sauront	elles enverront	elles pourront

vouloir	*voir*
je voudrai	je verrai
tu voudras	tu verras
il voudra	il verra
elle voudra	elle verra
nous voudrons	nous verrons
vous voudrez	vous verrez
ils voudront	ils verront
elles voudront	elles verront

venir	*finir*
je viendrai	je finirai
tu viendras	tu finiras
il viendra	il finira
elle viendra	elle finira
nous viendrons	nous finirons
vous viendrez	vous finirez
ils viendront	ils finiront
elles viendront	elles finiront

Revision Test 5

(a) Nous **irons** en ville.
(b) Il **arrivera** à six heures.
(c) Tu **devras** te dépêcher.
(d) Je **lirai** mon journal.
(e) Elle **réussira**.
(f) Ils **attendront**.
(g) Vous **ferez** vos devoirs ce soir.
(h) Elles se **coucheront** tard.
(i) Je **louerai** une tente.
(j) Tu te **mettras** en colère.

Revision Test 6

(a) We will go to town.
(b) He will arrive at six o'clock.
(c) You will have to hurry.
(d) I will read my newspaper.
(e) She will succeed.
(f) They will wait.
(g) You will do your homework this evening.
(h) They will go to bed late.
(i) I will hire a tent.
(j) You will get angry.

Revision Test 7

être	*faire*	*choisir*
j'étais	je faisais	je choisissais
tu étais	tu faisais	tu choisissais
il était	il faisait	il choisissait
elle était	elle faisait	elle choisissait
nous étions	nous faisions	nous choisissions
vous étiez	vous faisiez	vous choisissiez
ils étaient	ils faisaient	ils choisissaient
elles étaient	elles faisaient	elles choisissaient

vouloir	*avoir*
je voulais	j'avais
tu voulais	tu avais
il voulait	il avait
elle voulait	elle avait
nous voulions	nous avions
vous vouliez	vous aviez
ils voulaient	ils avaient
elles voulaient	elles avaient

Revision Test 8

(a) Il **faisait** beau
(b) Il **neigeait**.
(c) Nous **mangions** au restaurant.
(d) Vous **étiez** en vacances.
(e) J'**allais** en ville.
(f) Elles **venaient** tous les samedis.
(g) Tu te **réveillais** de bonne heure.
(h) Ils **nageaient** à la piscine.
(i) Nous **rendions** visite à nos grands-parents.
(j) Elles **préféraient** voyager en avion.

Revision Test 9

(a) It was fine.
(b) It was snowing.
(c) We used to eat at the restaurant.
(d) You were on holiday.
(e) I was going to town.
(f) They used to come every Saturday.
(g) You used to wake up early.
(h) They used to swim in the swimming-pool.
(i) We were visiting our grandparents.
(j) They preferred travelling by plane.

3

Revision Test 10

aller
je suis allé(e)
tu es allé(e)
il est allé
elle est allée
nous sommes allé(e)s
vous êtes allé(e)(s)
ils sont allés
elles sont allées

venir
je suis venu(e)
tu es venu(e)
il est venu
elle est venue
nous sommes venu(e)s
vous êtes venu(e)(s)
ils sont venus
elles sont venues

devoir
j'ai dû
tu as dû
il a dû
elle a dû
nous avons dû
vous avez dû
ils ont dû
elles ont dû

finir
j'ai fini
tu as fini
il a fini
elle a fini
nous avons fini
vous avez fini
ils ont fini
elles ont fini

acheter
j'ai acheté
tu as acheté
il a acheté
elle a acheté
nous avons acheté
vous avez acheté
ils ont acheté
elles ont acheté

se dépêcher
je me suis dépêché(e)
tu t'es dépêché(e)
il s'est dépêché
elle s'est dépêchée
nous nous sommes
    dépêché(e)(s)
vous vous êtes dépêché(e)(s)
ils se sont dépêchés
elles se sont dépêcheés

vouloir
j'ai voulu
tu as voulu
il a voulu
elle a voulu
nous avons voulu
vous avez voulu
ils ont voulu
elles ont voulu

regarder
j'ai regardé
tu as regardé
il a regardé
elle a regardé
nous avons regardé
vous avez regardé
ils ont regardé
elles ont regardé

voir
j'ai vu
tu as vu
il a vu
elle a vu
nous avons vu
vous avez vu
ils ont vu
elles ont vu

se coucher
je me suis couché(e)
tu t'es couché(e)
il s'est couché
elle s'est couchée
nous nous sommes couché(e)s
vous vous êtes couché(e)(s)
ils se sont couchés
elles se sont couchées

Revision Test 11
(a) Je **suis arrivé** à la gare à huit heures.
(b) Nous **sommes sortis** à dix heures.
(c) Elle **a décidé** de rester à la maison.
(d) Ils **sont restés** trois semaines.
(e) Tu **as fait** ton piano?
(f) Elles **ont reçu** beaucoup de cadeaux.
(g) Vous **vous êtes amusé(e)(s)**?
(h) Il **a compris**.
(i) Nous **avons choisi** la nouvelle voiture.
(j) Elle **a téléphoné** à ses copines.

Revision Test 12
(a) I arrived at the station at eight o'clock.
(b) We went out at ten o'clock.
(c) She decided to stay at home.
(d) They stayed three weeks.
(e) Have you done your piano practice?
(f) They received a lot of presents.
(g) Did you enjoy yourself/yourselves?
(h) He understood.
(i) We have chosen the new car.
(j) She telephoned her friends.

Revision Test 13

vouloir
je voudrais
tu voudrais
il voudrait
elle voudrait
nous voudrions
vous voudriez
ils voudraient
elles voudraient

aller
j'irais
tu irais
il irait
elle irait
nous irions
vous iriez
ils iraient
elles iraient

Revision Test 14
(a) Qu'est-ce que nous **ferions**?
(b) Tu **serais** content.
(c) Vous **pourriez** regarder la télévision.
(d) Ils **attendraient**.
(e) Je **verrais** mes compains.

Revision Test 15
(a) What would we do?
(b) You would be happy.
(c) You would be able to watch television.
(d) They would wait.
(e) I would see my friends.

Revision Test 16
(a) Pour aller à la gare, s'il vous plaît?
(b) Prenez la première rue à gauche.
(c) La banque est ouverte à quelle heure, s'il vous plaît?
(d) Je voudrais deux cafés, s'il vous plaît.
(e) Le service est compris?
(f) Le car part à quelle heure, s'il vous plaît?
(g) C'est un train direct?
(h) C'est combien, s'il vous plaît?
(i) Une chambre à un lit avec douche.
(j) Je n'ai rien à déclarer.

Revision Test 17
(a) You go as far as the roundabout, then turn left.
(b) You must be careful, there is black ice.
(c) Do you have a backache?
(d) Do you want a map of the area?
(e) Do not forget to stamp/punch (your ticket).
(f) Cross on the pedestrian crossing.
(g) We are late.
(h) He has had to repeat.
(i) My brother has just arrived from Paris.
(j) He has been living there for three years.

Revision Test 18
Check all of these from Volumes 1 and 2 as well as in this book.

Additional verbs

The following verbs appear in this volume:
éteindre, repeindre, (se) joindre.

These three verbs are formed in the same way.

Present tense

e.g.   j'éteins   I put out/switch off
      tu éteins
      il éteint
      elle éteint
      nous éteignons
      vous éteignez
      ils éteignent
      elles éteignent

Future tense: J'éteindrai, je repeindrai, je (me) joindrai. etc.

Imperfect tense: J'éteignais, je repeignais, je (me) joignais, etc.

Perfect tense: J'ai éteint, j'ai repeint, j'ai joint, (je me suis joint) etc.

Ramener

je ramène   I bring back
tu ramènes
il ramène
elle ramène
nous ramenons
vous ramenez
ils ramènent
elles ramènent

N.B. This verb has the same accent inflections as the verb 'se lever' (see Volume 2 Unit 4).

Glossary

Adjective   This is a word which describes a noun or pronoun. It gives information about colour, size, type, etc.
e.g.   la **jolie** fille.

Adverb   This is a word which describes a verb.
e.g.   Il travaille **bien**.

Clause   Part of a sentence which has a subject and finite verb.
e.g.   If he comes, ...

Conjugation   A scheme showing which parts of a verb go together.
e.g.   J'ai fini, tu as fini, il a fini, elle a fini, nous avons fini, vous avez fini, ils ont fini, elles ont fini.

Infinitive   That part of the verb which means 'To . . .'
e.g.   **aller**   to go
      avoir   to have

Irregular verbs   Those verbs which do not follow the set patterns.

Present participle   This is part of a verb which is expressed by '-ing' in English when it means 'by', 'while', or 'on' doing something.
e.g.   go*ing*, eat*ing*, look*ing*, etc.

Past participle   This is part of the verb which is used with 'avoir' or 'être' to form the perfect tense.
e.g.   J'ai **donné**,
      Je suis **allé**, etc.

Prepositions   These are words which are placed in front of nouns or pronouns.
e.g.   at (home), on (the table), with (me), for (them), etc.

Pronouns   Words used instead of nouns but referring to them.
e.g.   'Il', 'elle', 'nous', 'vous', etc.

(a) Interrogative pronouns
   These are pronouns which ask questions.
   e.g.   **qui**?
          que?

(b) Relative pronouns
   These are pronouns which link parts of a sentence together.
   e.g.   L'enfant **qui** travaille.
          L'enfant **que** vous voyez.

also **lequel**, etc (see Unit 10).

Reflexive verbs   These are verbs which refer to actions done to oneself.
e.g.   **se laver**   to wash oneself.

Superlative/comparative   Expressions which mean 'most' (superlative) and 'more' (comparative).
e.g.   Il est **plus intelligent** que son frère.
      He is *more intelligent* than his brother.

      Il est **le plus intelligent**.
      He is *the most intelligent*.

Tenses

(a) Present tense
   Those parts of the verb which tell us about the present.
   e.g.   Je vais en ville.
          I am going to town.

(b) Future tense
   Those parts of the verb which tell us about the future.
   e.g.   J'irai en ville, tu iras en ville etc.
          I shall go to town, you will go to town.

(c) Conditional tense
   Those parts of the verb which imply a condition.
   e.g.   J'irais en ville.
          I would go to town.

(d) Imperfect tense
   A tense which tells you what *was happening* in the past. It describes continuous or repeated actions in the past.
   e.g.   Il pleuvait.
          It was raining.

          Nous jouions au tennis tous les jours.
          We used to play tennis every day.

(e) Perfect Tense
   A tense which tells you what *has happened* in the past. It recounts completed events.
   e.g.   Samedi dernier nous sommes allés au cinéma.
          Last Saturday we went to the cinema.

Vocabulary

New words which appear in Volume 3 for the first time.

A

abriter   to shelter
accepter   to accept
les **accus** (les **accumulateurs**)   battery
l'**addition** (f)   bill
adhérer to join (a group)
l'**adhésion** (f)   membership
l'**aérogare** (f)   air-terminal
l'**aide** (f)   help
ailleurs   elsewhere
ainsi   thus
ainsi que   as well as
ajouter   to add
une **allée**   path
l'**amélioration** (f)   improvement
amener   to bring
un **ambulancier**   ambulance man.
animé   busy
annoncer   to announce
appliquer   to apply
apporter   to bring
apprendre   to learn
arrière   behind
assez   enough/quite
une **assiette**   plate
l'**athlétisme**   athletics
atterrir   to land
l'**auberge de jeunesse**   youth hostel
l'**aubergiste**   the warden
autant de   as much/as many
avaler   to swallow
à l'**avance**   in advance
une **averse**   shower/downpour
un **avion à réaction**   a jet

B

la **bâche**   canvas cover/tarpaulin
le **bal**   dance
le **balcon**   balcony
la **barrière de contrôle**   the control barrier
à **base de**   made from
le **bateau-mouche**   sightseeing boat
bénéficier   to benefit
la **bénédiction**   blessing
le **bidon**   (water) container
bizarre   strange
bloqué   blocked
boire   to drink
le **bol**   bowl
les **bonbons**   sweets

le **bonheur**   happiness
à **bord**   on board
boucler   to fasten/buckle
les **boules**   bowls
un **brancard**   stretcher
la **Bretagne**   Brittany
(des oeufs) **brouillés**   scrambled eggs
la **bruine**   drizzle
brumeux   misty

C

ça   that
cacher   to hide
le **camion-remorque**   breakdown lorry
la **camionette**   van
la **carte**   card
le **carton**   cardboard
céder   to give in
la **ceinture**   belt
célébrer   to celebrate
cependant   however
les **céréales en flocons**   breakfast cereals
la **cérémonie**   ceremony
(faire du) **chahut**   to make a din
la **chaîne**   chain/channel
la **chanson**   song
chanter   to sing
chacun   each
la **cheminée**   chimney/fireplace
la **chèvre**   goat
le **ciel**   sky
clair   clear
la **clé**   key
le **client**   customer
le **climat**   climate
comment!   what!
compris   included
compter   to count on/intend
à **compter de**   with effect from
confirmer   to confirm
confortable   comfortable
le **commencement**   beginning
faire la **connaissance de**   to make the acquaintance of
composter   to (date) stamp
la **congère**   snowdrift
conserver   to keep
au **contraire**   on the contrary
(un oeuf à) la **coque**   boiled egg
les **Cornouailles**   Cornwall
le (la) **correspondant(e)**   correspondent
la **côte**   coast
au **cours de**   in the course of
la **course**   race
le **couteau**   knife
le **couvert**   place-setting
couvert   covered
la **couverture**   blanket
les **coquilles**   shell-fish
crevé   punctured
le **cric**   (lifting) jack
en **croûte**   in a crust

la **cuiller/la cuillère**   spoon
le **cuir**   leather
faire la **cuisine**   to do the cooking

D

décorer   to decorate
défaire   to undo
déjà   already
le **déjeuner**   lunch
délivrer   to deliver
demain   tomorrow
le **dépannage**   repairs
dépanner   to repair
déplier   to unfold
depuis   since/for
déranger   to disturb
dès   from (referring to time)
le **dessin animé**   cartoon
dessiner   to draw
la **dinde**   turkey
le **dîner**   dinner
se **diriger**   to make one's way
se **disputer**   to argue
le **dortoir**   dormitory
Douvres   Dover
doux (*f* **douce**)   gentle/mild
le **drap**   sheet
se **dresser**   to rise up
durer   to last

E

une **écharpe**   scarf
une **éclaircie**   bright interval
des **écrevisses**   crayfish
élevé   high
encore   another/further
enlever   to remove
ennuyer   to annoy
enregistrer   to record
un **ensemble**   an outfit
s'**entendre**   to get on
une **entrée**   first course (of a meal)
épargner   to save/spare
épars   scattered
l'**équitation**   horse-riding
l'**équipement**   equipment
l'**escalier roulant**   escalator
les **escargots**   snails
essayer   to try
l'**est**   east
un **étalage**   stall
s'**étendre**   to stretch out
éteindre   to put out
les **étrennes**   New Year's gifts
étroit   straight/narrow
évidemment   obviously
exactement   exactly
s'**exclamer**   to exclaim
un **extrait**   an extract

F

faible   weak
faux (**fausse**)   false
la **fermeture**   closing
le **feuilleton**   serial
les **feux d'artifice**   fireworks
la **fève**   bean
un **film d'amour**   a romantic film
la **fin**   end
la **flânerie**   stroll
le **fleuve**   river
(les céréales) en **flocons**   breakfast cereals
le **foie gras**   goose liver pâté
la **fontaine**   spring/pool
frais (**fraîche**)   fresh
la **frontière**   frontier
le **fruitier**   fruit-seller
la **fourchette**   fork

G

le **gars**   boy
la **galette**   (a kind of) cake
le **gâteau**   cake
généralement   generally
le **gigot**   leg of lamb
le **Gitan**   gypsy
gourmand   greedy
le **goûter**   tea
la **grillade**   grill
grillé   grilled
le **groupe**   group
ne … **guère**   scarcely
(un film de) **guerre**   a war film

H

une **habitude**   habit
le **haut-parleur**   loud-speaker
l'**hébergement**   lodging
un **hélicoptère**   helicopter
heureux   happy
le **homard**   lobster
une **hôtesse de l'air**   air-hostess

I

une **idée**   an idea
une **image**   picture
immédiatement   immediately
un **immeuble**   block of flats
individuel   individual
s'**installer**   to settle down/in
interdit   forbidden
un **invité**   guest
itinéraire bis   alternative route

118

J

ne ... **jamais**   never
le **jeu**   game (*pl* les **jeux**)
les **jeunes gens**   young people
joindre   to join
joyeux   happy

L

le **lac**   lake
laitier   milk (*adj.*)
la **langouste**   lobster/crayfish
laquelle (*f*) ⎫
lequel (*m*) ⎭ which
large   big/wide
au **lieu de**   instead of
avoir **lieu**   to take place
la **ligne**   line
le **linge**   linen
la **loterie nationale**   the national lottery
la **luge**   toboggan
la **lune de miel**   honeymoon

M

la **ménagère**   housewife
la **messe**   Mass
la **météo**   weather forecast
le **métro**   underground
les **meubles** (*mpl*)   furniture
le **miel**   honey
le **Midi**   South of France
mieux   better (adverb)
modéré   moderate
le **mois**   month
la **moitié**   half
la **montagne**   mountain
montagneux/montagneuse   mountainous
le **morceau**   piece
la **moutarde**   mustard
le **muguet**   lily of the valley
mûr   ripe
mystérieux   mysterious

N

la **nappe**   tablecloth
neuf   brand new
les **noces**   wedding
le **nord**   north
le **nord-ouest**   north-west
la **note**   bill
la **nourriture**   food
nuageux   cloudy

O

un **orage**   storm
ordinaire   ordinary
l'**ouest**   west
l'**ouvreuse**   usherette

P

le **panneau**   sign
Pâques   Easter
par   by/through
le **parcours**   route
paroissial   parish
le **parcmètre**   parking-meter
le **passager**   passenger
les **pâtes**   pasta
le **paysage**   countryside
le **péage**   toll
le **Pentecôte**   Whitsuntide
péripherique   ring road
permettre   to allow
peu   little
avoir **peur**   to be afraid
peut-être   perhaps
le **pilote**   pilot
la **piste d'atterrissage**   (airport) runway
la **plaine**   plain
au **premier plan**   in the foreground
faire de la **planche à voile**   to wind-surf
le **plat**   dish
le **plat du jour**   today's speciality
la **plupart**   the majority
plus   more
plusieurs   several
plutôt   rather
le **poivre**   pepper
le film **policier**   detective film
le **porte-bonheur**   good-luck charm
le **portillon**   gate/door
le **potage**   soup
le **pourboire**   tip
pratiquer   to practise
de **près**   close by
pressé   in a hurry
la **pression**   pressure
prêter   to lend
à **prix fixe**   at a fixed rate
proclamer   to proclaim
les **produits**   products
le **projet**   plan
proposer   to propose
propre   clean/own

Q

quelque   some (adj)
quelques-uns   some (pronoun)

R

les **raisins**   grapes
la **rame**   line/train
ramener   to bring back (people)
rapporter   to bring back (things)
le **relais**   hostel
remercier   to thank
remettre   to replace
remorquer   to tow
les **réparations**   the repairs
le **repère**   landmark
ressembler   to resemble
se **réunir**   to meet together
réussir   to succeed
le **réveillon**   midnight meal
la **rive**   bank
le **roi**   king
ronfler   to snore
le **rosbeef/rosbif**   roast beef
rougir   to blush
la **route**   road

S

sauf   except
le **saumon**   salmon
le **schéma**   plan
le **séjour**   stay
le **sel**   salt
selon   according to
le **sens unique**   one way
la **serviette**   serviette/towel
servir   to serve
seul   alone
le **seuil**   threshold
le **ski nautique**   water-skiing
le **sorbet**   water-ice
la **sortie**   exit
la **soucoupe**   saucer
souffler   to blow
souhaiter   to wish
la **source**   spring (water)
sourd   deaf
sous-titré   sub-titled
le **stationnement**   parking
le **sud**   south
le **sud-ouest**   south-west
suivant   following
au **sujet de**   about

T

le **taureau**   bull
tandis que   while
la **tasse**   cup
tâter   to touch
le **télésiege**   ski-lift
la **tempête**   storm
de **temps en temps**   from time to time
tenir   to hold
tenter   to attempt
le **thé**   tea
le **titre**   title
tôt   soon
faire un **tour**   to go for a trip
le **traiteur**   caterer
le **trajet**   trip/journey (short)
trop de   too much/many
la **truite**   trout

U

unique   only
utilisable   able to be used

V

faire la **vaisselle**   to do the washing-up
valable   valid
la **veille**   the eve/day before
le **vélo**   bike
la **vente**   sale
le **verglas**   black ice
le **verre**   glass
vers   about
le **vinaigre**   vinegar
une **vingtaine**   about twenty
les **voeux**   wishes
faire de la **voile**   to go sailing
le **vol**   flight/theft
la **volaille**   poultry
vraiment   really
la **vue**   sight

120

Index